スガリさんの感想文は
いつだって斜め上　ろ

平田駒

河出書房新社

目次

CONTENTS

スガリさんの感想文はいつだって斜め上 3

プロローグ

五感。特に嗅覚は、人が頭の奥底に仕舞った記憶をいとも簡単に呼び起こす。

「あっ」

真昼の食堂で若い男が顔を上げた。

どこを見ても細くて長い。背は高く、顔は細面、手の平は大きく、ピアノをやるにはうってつけの指をしている。

周りの人たちと並べると、男が日本人離れした体格の持ち主であることが明らかだ。しかし、男に近づくことを躊躇《ためら》う者はいない。それはウェリントンフレームの眼鏡の奥にある男の眼が、底抜けに優しい形をしているためだった。

男の名前は直山杏介《なおやまきようすけ》。名古屋市にある私立高校、鶴羽《つるばね》学園の家庭科教師をしている。

杏介は自他ともに認める裁縫好きだ。部活の顧問も当然、手芸部だった。過去形なのは、部員不足で手芸部が廃部になったからであり、訳あって今は別の部活顧問をしているからでもある。

唐突に呆《ほう》けた声を上げるきっかけとなったのも、その部活に纏《まつ》わる人物がテーブルの傍を通り過ぎたからだった。

目の覚める煙草の匂いが鼻をかすめ、杏介の脳みそを震わせる。杏介は囁くように確信を口にする。

「聞き間違いじゃない……」

八事《やごと》日赤《にっせき》駅前の冷たくも赤々とした街灯の下で、学園の中央図書館司書、高井田《たかいだ》は確かに言っていた。

　気をつけて、と。

　疑う余地のない忠告の文句だ。強靭なメンタルで知られる司書の口から出てくるには、いささか……いや、かなり珍しい発言である。煙たがっている生徒に関わることならばなおさらだ。

　杏介は小さな声で生徒のあだ名を口走る。

「スガリさん」

　たちまち頭が少女の像を作り出した。上手いとは言い難い出来栄えの三つ編みがトレードマークの、可憐な顔立ちをした女子生徒である。

　鶴羽学園高等部二年二組、出席番号十七番、須賀田《すがた》綴《つづり》。

　長野の名峰、八ヶ岳の麓から単身名古屋にやってきた転校生だ。市内の病院に入院する曾祖母のため、他人となったはずの父親の親族宅に身を寄せている。

　特殊な身の上だとは確かに思う。

だが、高井田の言っていたような警戒心を抱く必要はどこにもない。

なぜ、高井田はあれほどしつこく綴について確認したのだろう。しこたま酔っていたとはいえ、生徒の家の家庭事情を追及する必要がいったいどこにあるというのか。

（それに、あのときの高井田先生……）

ツキノワグマのぬいぐるみ、セオドア越しに杏介に体を預けた高井田の顔は、明らかにいつもと違っていた。目は見開かれ、口元は震えていた。泣く寸前。そんな印象さえ抱かせた。

まるで、背負った十字架の重さに耐えきれずにいるような。

まるで、秘密を共有できる仲間を探しているような。

そこまで考えたところで、杏介は手を口にやった。

「まさか」

認識が一変したのだ。今まで原因だと思っていたものが、結果の一つに成り下がる。

綴が名古屋にいるのは、両親の離婚のせいではない？

己が聞いている以上の何かがある？

そして高井田は……真相を知っているのではないか？

「大変だ」

杏介は慌てて、大勢の生徒にまぎれて消えていった高井田を探した。鶴羽学園の司書は、世間一般の司書らしからぬ明るい髪をしている。校則の厳しい学園内では特に目立つ。

頭をあちこちに動かしていると、同じ机に座るランチ仲間がこちらを見つめている。養護教諭の森田《もりた》と倫理担当の堤《つつみ》だ。顔も体形もバラバラだが、何かにつけて一緒にいるせいか、はたまた全員が眼鏡をかけているせいか、三人ともなんとなく似ているとよく言われる。三兄弟と称されることもある。

「どこ見てんだ、お前。そっちじゃないぞ」

「ほら、おたくの部長は中庭にいるってば。自販機コーナーのちょっと右だよ。いつもどおり読書中だね」

年齢も手伝って、杏介は末弟のポジションである。こんな風に世話を焼かれることは日常茶飯事だ。

「あ、いえ。探しているのはスガリさんではなくてですね……」

杏介はそこまで言いかけて黙った。

目の前にいるのはゴシップをおかずに飯を食う二人の兄貴分だ。話せば十中八九、大事《おおごと》になるだろう。

「スガリさんじゃなくて、誰だよ？」

「え、えーっと」

手の平をもう片方の手の指で打つ。杏介の思考するときの癖だ。特に追い込まれたときに使うのだが、どれだけ急《せ》かしたところで頭は応えてくれない。

森田の眼が続きを催促している。万事休すである。

杏介は顔をしかめた。それこそＵＦＯにでも飛んできてもらわない限り、二人の意識を逸らすことなんてできそうにない。

いっそ呆《あき》れられることを覚悟して、わざとらしい叫び声を上げてみようか。ぐるぐる考えていたところで、杏介は目を丸くした。未知との遭遇、と称して憚《はばか》りない光景が視界に飛び込んできたからだ。

「あ！」

「おいおい、今時そんなＵＦＯだ！　みたいなフェイント……って、マジィ!?」

「うっそぉ……」

杏介、森田、堤が思い思いの衝撃を口にする。視線は食堂の窓の向こう。中庭に釘付けだ。

そこには堤が告げたとおり、綴がいる。

綴は中庭のベンチで読書に没頭していた。読書感想部なんて珍奇な部活を設立するほどの活字中毒者なのだから、これはいつもどおりの姿だ。

問題は、綴に近づいてきた者がいたことである。

焼きすぎたパンのような肌の色と、ひょろっとした体つき。綴のクラスメイト・結城《ゆうき》登《のぼる》だ。

どこで何をしたのかは分からないが、頬に特大サイズのガーゼを当てている。

登は自販機コーナーから半分踊るように飛び出してきた。いつも眠たそうにしている顔が、パッチリと覚醒しているのが分かる。喜色満面《きしょくまんめん》といった具合だ。躊躇うことなく綴に近づくと、一方的に何かを捲《まく》し立てた。内容は聞き取れないが、身振り手振りの激しさから勢いだけは伝わってくる。

綴は返事をしなかった。というか、できなかった。口を開く前に登にベンチから引っ張り上げられたのだ。そのまま自販機コーナーに吸い込まれていく。手は登と繋いだままで。

ちょっとやそっとでは動じない綴の顔に驚きが混じっている。新鮮な光景だ。

杏介は手を打った。登の喜びようから合点がいったのだ。

「自販機でジュースが当たったんですね」

「そこじゃねぇ!」

とたんに最年長の養護教諭から突っ込みが入る。行儀が悪いが、箸の先まで向けられていた。

「何素《す》っ惚《とぼ》けたこと言ってるんだ。お前の目は節穴か?」

「ええ?」

叱られている理由がさっぱりで、杏介はうわずった声を上げる。森田はわざとらしくため息をついた。

「本当、鈍いなお前。俺たちは結城の猛烈アプローチを目の当たりにしたんだよ。直撃コースにいた堤を見ろ。青春のキラキラにあてられて生きる屍《しかばね》になってるだろうが!」

見れば堤は、つい先ほど自分が空にしたラーメン丼に顔を突っ込んでいる。隙間から、「甘酸っぱさが僕の脳の許容量を超えた」といううわごとが漏れていた。

「そ、そうなんですか？」

「モテ期が幼稚園だった僕にだって分かるぞ。これから蕁麻《じんま》疹《しん》が出そうな会話が始まるんだ。くそう、眩《まぶ》しすぎて死んでしまう」

堤のクリームパンのような手がだんだんと机を打つ。森田も忌々《いまいま》しくうなずいた。

「あいつ図書委員だったよな。ってことは、きっと本の話題だぜ？　ねぇねぇ、それ何読んでるの？　村上春樹ならどれが好き？　サリンジャーは？　みたいな感じでさぁ」

「羨ましい」

「まったくだよ」

森田と堤は生徒の視線を憚ることなく、「俺も（僕も）学生時代にスガリさんみたいな美少女と好きな本の話題で盛り上がりたかった」と悔しがる。完全にスイッチが入ってしまっている。

杏介は苦笑いを浮かべて白状する。

「僕は別の話題のほうがありがたいです」

なんで部活顧問をやっているのかと呆れられる事実だが、読書は大の苦手だ。本好きと本の話題なんて交えたら、相手の知識量に圧倒されて萎縮するのは目に見えている。

杏介当人としては思ったことを素直に口にしただけなのだが、どうやら先輩二人の地雷を踏み抜いたらしい。二人ともレンズの奥の目が釣り上がっている。

「勝者の余裕か、コラ！」

「他意がないぶん始末が悪いよ、君！」

「喰らえ、俺たちのカロリーウェーブ！」

報復とばかりに、やっとの思いで食べきった茶碗がおかずで埋まる。杏介は真っ青になった。小食には堪《こた》える脂の乗り具合なのだ。

「あ、あ、待ってください。かぼちゃコロッケの小鉢なんて食べきれません！　メンチカツはもっとダメです！」

大の大人とは思えないやりとりである。周囲の生徒はゲラゲラと笑っている。

そのさらに奥に、ミルクティ色の艶やかな髪を垣間見たような気がしたが、杏介には声をかける余裕はもう残っていなかった。

第五話

太宰治『走れメロス』

1

鶴羽《つるばね》学園高等部の新設部、読書感想部の活動場所はB校舎の一階にある。『家庭科準備室』という室札の下がる小さな部屋だ。

元は図書分室だったこともあり収納だけはやたらと多い。かつて図鑑が並んでいた本棚には、実習で使うミシンや調理器具がぴちりと整理されて置いてある。反面、人が作業できる場所は潤沢にあるとは言い難い。

教員の机を除けば、四人家族が使うようなダイニングテーブルと椅子が一式あるだけだ。

十分だ、と顧問は思う。だって読書感想部の部員は、今のところたったの二人なのだから。

「でも、一人と二人じゃ全然違うんだよ」

返し縫いを施しながら、杏介《きょうすけ》は上機嫌につぶやいた。

部員を見守る傍らの縫い物だ。再来週に公演を控えた演劇部の要請に応え、衣装の丈詰めを手伝っている。雑用だと多くの者がげっそりしそうな作業でも、杏介にしてみれば心休まるリラクゼーションだ。目尻を下げながら、指ぬきで針頭を押し込む。

その様を見た部員が感心した声を上げた。

「先生、本当お好きですよねぇ」

一年生の小野《おの》愛海《あいみ》だ。「制服のサイズが初等部の頃から変わっていない」と告白するだけあり、少女というよりは子どもと表したくなる体形をしている。

以前はその体を強い癖っ毛が覆い、陰で「髪の毛が歩いている」とまで言われていたが、最近ショートヘアデビューを果たした。

大変身のきっかけは読書感想部への入部だ。

入部までの紆余曲折を思い出すと、杏介は胸の中が温かくなるのを感じる。

愛海は読書感想文コンクールの県代表に選ばれたこともある実力者だ。しかし、部の勧誘には一度拒否反応を示している。聞こえの良い、そして自分の言葉ではない読書感想文を作る生活に嫌気がさしていたから。

ぴったりの部に来てくれたと杏介は思う。なにせこの読書感想部の設立者は「本の読み方は自由です」と豪語する生粋《きっすい》の読書人、須賀田《すがた》綴《つづり》である。杏介がたじろいでしまうような情熱を読書活動に注いでいる。

ついていけるのは同じ道を行く者であり、愛海は間違いなくその一人だ。

（本当、小野さんが来てくれて良かった）

杏介に読書感想部を部員百人超えのマンモスクラブにしたいという野心はない。むしろ逆だ。細々とでいい。本好きが仲間を見つけることのできる部活になってくれれば十分である。愛海のような勤勉な者であれば万歳三唱だ。杏介は目に入ったものを指さした。

「小野さん、偉いよね。それ、読書感想文のアイデアノートでしょう？」

杏介としては何の気なしに褒めたつもりである。

だが、愛海は飛び上がらんばかり……というか飛び上がって驚いた。

「ひぃっ！」

兎の首根っこを掴むときっとこんな声を出して固まるのだろう。久方ぶりな愛海の慄《おのの》きである。

愛海は慌ててＢ５サイズのノートを隠そうとした。手元が狂い、ノートは机から落下する。落下点はちょうど身を離そうとした綴のつま先だ。

「痛い」の一言くらいあってもいい音がしたが、綴の形の良い口から飛び出したのは「わあ、格好いい」という褒め言葉だった。

「嫌ー！」

「おや、『バーナムの森が動かない限り』……って台詞があるということは、この男の人がマクベスなんだね」

杏介にはまったくピンと来なかったが、学園でも一、二を争う本好きが言うのだ。間違いないのだろう。

愛海は真っ赤になりながら綴に飛びつく。残念ながら、綴と愛海には運動神経に差がありすぎる。綴は目をノートへ釘付けにしたまま、飄々《ひょうひょう》と愛海の縋《すが》る手を避けていった。

「ダメです、先輩。返してください」

「恥ずかしがることないよ、愛海ちゃん。すごく上手じゃないか。マクベスもここまで男前にしてもらえるなら、首を落とされても本望だね」

「そういう問題じゃないんです、スガリ先輩！　私、死んじゃいます！　恥ずかしさで！　死んでしまいます！」

挙げ句の果てに杏介を柱代わりにしての追いかけっこが始まった。制止の声をかけても効果はない。綴は杏介の背中越しに愛海に笑いかけるし、愛海は杏介の腕の隙間からノートを取り返そうと必死だ。

身長差も手伝って、何度か愛海の手が杏介の腰や脇に当たる。けっこう痛いが、杏介の口から出たのは文句ではなく謝罪だ。

「なんか、ごめん……小野さん」

「申し訳なく思うなら助けてください！」

綴の顔は完全に悪戯っ子のそれである。三人兄弟の真ん中だと言っていたが、姉としてはこんな表情を見せることもあるのだろう。

杏介の口が「スガリさん」と呼びかける準備をする。

だが、最近杏介の中でやっと定着したあだ名は、残念ながら音となって出てくることはなかった。

誰もが予想しなかった場所から、愛海の助け舟がやってきたのだ。

「大盛り上がりのところ申し訳ないですがね」

教頭の野間垣《のまがき》だった。

杏介は内心、「うわぁ」と疲れた悲鳴を漏らした。

野間垣の来訪はいつだって凶兆《きょうちょう》を意味する。まだぬらりひょんがやってきたほうが無事ですむだろう。

部下のげっそりした顔に気づくことなく、野間垣は家庭科準備室の入口で痩せた胸を反らす。

「まずは読書感想部設立おめでとうございます、直山《なおやま》先生。年度始め、私は確かに『絶対にどこかの顧問にはなってほしい』と申し上げましたが、まさかこんな斬新な部活を作られるとは」

「えっと、それはどうもご丁寧に……ありがとうございます」

杏介は慎重に返事をした。字面《じづら》どおりに受け取ってはいけないと直感したのだ。

鶴羽学園には「顧問を見つけさえすれば、部員一人からでも部活動を許す」というユニークなルールがある。おかげで学園には雨後の筍《たけのこ》のように部が乱立し、教員は対応にてんてこ舞いだ。

教頭である野間垣としては、杏介にすでにある部活の手伝いに入ってほしいから、「どこかの顧問になれ」とプレッシャーをかけたはずである。現実は野間垣の予想の斜め上を行っているのだから、何かしら思うところがあるに違いない。

「今は二年生の須賀田さん、一年生の小野さんのお二人がご所属だとか？」

「はい。二人ともとても優秀ですよ」

「でしょうねぇ。しかしちょっと寂しい人数だなぁと思いませんかね？　たった二人だなんて」

野間垣は「たった」という部分をこれでもかというほど強調する。もうすでに野間垣の喉には「足りないでしょう。そう思うはずだ」という結論が、間違いなく詰まっている。

二人目の部員、愛海を獲得するだけでもけっこうな苦労をしたのだ。おいそれと「勧誘活動を広げます」とは言いづらい。野間垣相手に下手な約束をすれば、毎週のように進捗《しんちょく》を確認されてしまう。

キリと痛む胃を押さえ、杏介は気弱に切り出す。

「あの、野間垣先生。僕としては……」

すかさず野間垣の手が続きを制した。

「皆まで言わなくてけっこう。私が一肌脱ぎましたよ。やはり部活動というからには部員は三人くらいいてもらわないと。慣習だってそうなっとりますし」

興奮してきているのか、野間垣の口ぶりには若干、地の話し方が滲《にじ》み出てきた。

「察しが悪いがね、直山先生。この私が、読書感想部にぴったりの人材がいると言っているんですよ」

「新入部員ですか！」

静かな興奮に綴と愛海の瞳の色が変わる。転校生を待つクラスの生徒のような眼差しだ。

杏介の声も弾けた。

「うわぁ、ありがとうございます！　さすが教頭先生ですね」

「当然です。私はいつだって鶴羽学園の活躍を願っていますからね」

期待に胸が膨らむ。部員が増えればできることが増える。部員の分担も楽になる。

（いったいどんな子がやってくるのだろう）

やはり綴や愛海のような本好きの女の子だろうか。また家庭科準備室が手芸部のあった頃のようになるのだろうか。あれこれ想像を巡らせる。

ところが、杏介のうきうきとした気持ちはあっという間にしぼんだ。

野間垣の肩越しに見えるものがあるのだ。

「え？」
家庭科準備室の入口に愛海の担任、島《しま》がいる。体育担当で、大学生の頃は柔道をやっていた。その隣にはボクシング部顧問の用賀《ようが》までいるではないか。

これでは学園の武闘派の二人が揃い踏みしたことになる。準備室の中からは見えないが、用賀の背後にはなおも数人の男性教員が、誰かを囲うように構えている気配があった。

これでは凶悪犯の護送ではないか。

「あの、野間垣先生」

「なんですか？」

「もしかしてなんですが、その新入部員というのは……今日、ここに来てるのでしょうか？」

「もちろんですとも！」

満を持して野間垣が道を開ける。

家庭科準備室の入口が露わになり、五月の日差しに温められた温《ぬる》い風が杏介の顔に当たる。

「さっさと入れ」

「クソボケ教員共め！　俺は認めんぞ！　筋を通せよ、筋を！」

三好《みよし》ヶ丘《おか》の先にある刑務所の看守を思わせる用賀の命令を、かき消すように声が爆《は》ぜた。

大砲を撃ったような大音声だ。肌がビリと痺れる。その独特な脅し文句に、杏介の眠っていた感覚が呼び起こされる。

体が凍りつく。杏介は眼だけを動かす。見れば、愛海はその場にへたり込んでいる。恐怖で腰が抜けたのだ。

杏介の舌ももつれ、いつも以上に言葉が拙《つたな》くなる。

「野間垣先生。う、嘘ですよね？　だって、まだ停学中のはずで……」

「昨日明けました。彼には今年こそ学業を修めてもらわなくては困りますからね。これ以上、卒業を引き延ばされたら、学園の威信はガタ落ちです」

腕っ節に自信のある部下に囲まれているからか、野間垣の態度は傲慢《ごうまん》そのものだ。

当然、短気な男子生徒の神経は逆撫でされる。形勢不利も構わず、野間垣に飛びかかろうとする。

「読書感想文を書かないと卒業を認めねぇだと!?　まったく筋が通らんぞ、コラ！」

校則の毛髪規定をぶっちぎりで破る赤髪に、細い眉。その下にある目は鋭く吊り上がっていて、東大寺《とうだいじ》の金剛力士《こんごうりきし》像《ぞう》を連想させる。

ガラの悪さを隠そうともしない物言いには、何かにつけて「筋」という物騒な単語が交ざる。実家は名古屋の台所・柳橋《やなぎばし》中央市場だ。青年の気性を表す通り名も、近所の商人《あきんど》がつけたものだという。

曲がったことが大嫌いで、権威にものを言わせる者には絶対に従わない。煮ても焼いても食いづらい、牛の黄靭帯《おうじんたい》のような、筋金入りの頑固者。

鶴羽学園開校以来の問題児。

「鬼スジの……丹波《たんば》、くん」

杏介は、震える指先で新入部員候補の姿を捉えた。

2

校則は厳しく、制服はダサく、けれども生徒はそれなりにのびのびと。

名古屋市内での鶴羽学園の印象はざっとこんなところだが、その実、内部ではけっこうな実力社会が形成されている。高等部からのクラス分けがその最たる例だ。

高等部の所属クラスは前年三学期の期末テストによって成績順に割り振られる。クラス内の男女比に考慮はなく、授業は志望大学の受験に必要な教科を生徒一人ひとりが適宜選択することになっている。優秀な生徒から順に、一組から六組までだ。

「同じ学校なのだからそこまで実力差は出ないのでは？」というコメントもよく寄せられるが、実態は逆である。初等部から大学までを持つマンモス学校のエスカレーターに乗っていると、優等生と劣等生の差はどうしても広がってしまう。

連動して、クラスの授業への参画態度も一組と六組では完全に別物となる。だいたいの生徒は「五組はまだ耐えられるが、六組にだけは絶対に行きたくない」と年末から必死で勉強する。特に今年の三年生は死に物狂いだっただろう。三年六組に割り振られたら最後、あの鬼スジ先輩と一年間一緒のクラスになってしまうのだから。泣きそうな気持ちで机に向かったに違いない。

杏介だって同じ心境だ。

（去年のうちに卒業してくれればよかったのに！）

丹波舜斗《しゅんと》の卒業は、杏介が鶴羽学園に着任した年、つまり去年のはずだった。残念ながら出席日数が足りずに留年となっている。

そうでなくとも舜斗は、家業の配達バイクで学校に乗り付けたり、「お釣りが足りなかった」という理由から自販機を壊したりして何度も停学処分を受けているのだ。そもそも授業についていけていない。結果、学園長レベルでの審議の下、去年度の卒業が見送られた。

日々の授業でも悲惨な有様だ。夏休みの宿題など、期待するだけ虚しいというものである。

「丹波くんの読書感想文は、初等部六年生のときに出した『泣いた赤鬼』が最後なんですよ？それ以来一枚も出していないんです。こんな不正は許されるはずがありません」

野間垣は大げさに手を額に当てて主張した。それから毅然《きぜん》とした顔を作り、問題児と向き合う。

「この場でもう一度宣言します。特別課題として、今まで提出をサボってきたぶんと今年ぶん含め、六本の読書感想文を出すこと。来年の三月までに出せなかった場合は卒業を認めません」

「ふざけんな、たかが作文だろ！」

「たかがと言うのであれば書けばいいんです。簡単でしょう？」

野間垣が煽るものだから、舜斗はますます激昂《げきこう》する。

早速、暴力沙汰かと杏介は青くなったが、間髪を容れずに用賀が舜斗と野間垣の間に割って入った。

担当科目こそ社会だが、用賀の体つきは体育担当の島より縦にも横にも大きく、そして厚みがある。着任以来、ずっとボクシング部の運営に心血を注いでいる、クルーザー級の経験者だ。

「丹波、お前は自分の立場が分かってるのか？　いつ放校になってもおかしくないところを、お優しい教頭先生は気にかけてくれているんだぞ？」

その口調は重々しく、迫力がある。特段、後ろめたいことなどないはずなのに、杏介は用賀と話すたびに変な汗をかいてしまう。

しかし舜斗は怯《ひる》むことなく吠えた。

「教頭が気にしてるのは俺じゃなくて学校の進学率だろ。用賀、あんたもずいぶんと成り下がったもんだな」

怒り具合は先ほどまでの比ではない。親の仇でも見るように、ボクシング部顧問を睨みつける。

　これでは任侠映画のワンシーンだ。野間垣たちが来るまで部屋を満たしていたほのぼのとした雰囲気はどこにいってしまったのか。

　杏介は眼前の惨状に頭を抱える。

「ああ、どうしてこんなことに」

　すると、用賀の後ろで踏ん反り返っている野間垣が鼻の穴を膨らませた。

「丹波くん、これは筋ですよ」

　今にも用賀に殴りかかろうとしていた舜斗の動きが、ピタリと止まる。自分の中で重きを置いている言葉が野間垣の口から出たからだ。

「……なんだと？」

　好機とばかりに野間垣は捲《まく》し立てた。

「読書感想文は鶴羽学園の生徒全員が提出する義務です。誰もがこなしてきた歴史なんですよ。それを踏み倒して卒業しようだなんて、どう考えても筋が通っていないのでは？」

　初めて聞いた理屈だ。野間垣の表現を借りるのであれば、「どう考えても」でっち上げである。しかし意外にも舜斗には効果があったようで、悔しげに歯を軋ませる音が杏介の耳にも届いた。

「君が百年の歴史を誇り、名古屋の食を支える市場の次の担い手を自負するのであれば、ここで汚名を残していくのはどうかと思う。正直恥ずかしいでしょう。違いますかね？」

日頃、野間垣に丸め込まれている杏介には分かる。ここははっきりと「違う」と言い切ることが正解だ。返事に窮したら最後、完全に野間垣のペースになってしまう。

（って、思っても口出しできる状態じゃないし）

やりきれない気持ちを抱え、杏介は力なく二人を見守る。野間垣は目をぎらぎらとさせて、舜斗に畳みかけた。

「ならば、為すべきことは一つですよ、丹波くん。読書感想部に入部して、今までの遅れを取り戻すんです」

誰もが固唾をのんで舜斗を見つめる。少しの間沈黙が訪れる。

「分かった」

低く、しかしはっきりとした肯定が舜斗の荒れた唇から漏れた。この短い時間のうちに覚悟を固めたのだろう。声の硬さと射貫くような眼差しが舜斗の心中を物語っている。勇ましさすら覚える様だ。

野間垣は満足げにうなずき、杏介は大きく肩を落とす。

完全に貧乏くじだ。さもなくばババ札である。前向きに捉えているのは一人だけ。

「なんだか楽しそうな人ですね」

強がりなんかではない。綴は本気で言っている。

杏介はその肝っ玉が羨ましくてならなかった。

杏介は背に流れる冷や汗を感じながら、「……というわけで」と口火を切った。

「今日から入部することになった、丹波舜斗くんです」

舜斗は家庭科準備室の椅子に大股を広げて浅く座っている。

顎《あご》をわずかに動かし、「よろしく」と短く挨拶する。

これでも大人しくしているほうだ。

「よろしくお願いします」

綴一人が返事をする。舜斗の対角線上に座る愛海は、今にも気絶しそうになっている。

杏介にはその気持ちがよく分かった。

鶴羽に長くいる愛海にとって、舜斗は『伊勢物語』に出てくる鬼よりも恐ろしい存在だろう。

本来ならば、愛海が高等部に進学するタイミングでいなくなっていたのだ。とくれば、ますます自分の不運を呪うしかない。

それに引きかえ、綴の神経はどういう作りをしているのか。

「丹波先輩、先輩はどうして中等部に上がられてから、読書感想文を書かなくなったんですか？」

「書かなかったじゃねぇよ。読んでも何も思うことがなかったから、白紙で提出しただけだ」

「ああ、ありますよね。そういうとき」

不良相手でもまるで動じない。いつもどおり、底の見えない瞳をして、好奇心の赴くままに質問を重ねる。

（すごいよ。さすがだよ。やっぱりだね。スガリさん）

小気味好く言葉を重ねながら、杏介は見えない涙を流した。ちなみにではあるが、野間垣は用心棒役の教師を連れてとっくに去っていた。

同じように、舜斗にとっても綴は珍しい存在らしい。吊り上がった眼で綴の猫っ毛や鼻筋をまじまじと見る。

「お前さ。高等部からの転入か、転校生だろ？」

「そうです。ご挨拶が遅れて申し訳ありません。私が読書感想部部長のスガリです」

「スガリ？」

おきまりの流れだ。杏介は身を固くする。

スガリとは長野の方言である。地蜂の幼虫を意味する。

なんでそんなものが、美少女のあだ名になっているのか。理由は簡単、綴の好物だからだ。山に分け入って巣を狩り、弁当に入れて持ってくるほどに。

ここまで聞けばだいたいの人間は驚愕で顔を歪める。綴に抱いていたイメージを見事に打ち砕かれ、十中八九、落胆する。ただし柳橋中央市場に店を構える魚屋の息子となると例外らしい。

舜斗は間延びした声とともに一度顔を天井に向けた。途中、ツキノワグマのぬいぐるみ、セオドアの姿が視界に入ったらしく、「なんでクマ？」と口走ったあとで綴と向き合った。

「マルナカの珍味屋で瓶詰めになってるのを見たことあるぜ。見た目グロいけど、栄養すごいし美味いって聞いたな。何？　お前、あれが好きなの？」

「オススメは採れたてを生食ですよ」

「正気かよ」

「そう仰らずに。美味しいんですから」

まさかな話題で綴と舜斗が打ち解ける。

（チャンスだ）

杏介は自分を奮い立たせた。

舜斗がここにいる理由は単純明白。白紙提出してきた読書感想文を、今年分を含めきっちり六年分書き修めるためである。

当人はもとより、サポートする周囲にとっても難しいミッションだ。なにせ「何も感想が浮かばない」のだから。しかし、ここには読書感想文のエキスパート・綴がいる。

それに今日取り上げる作品は、杏介ですら空であらすじを説明できる有名文学なのだ。

「丹波くん。僕たちいつも全員同じ作品で読書感想文を書いているんだ。それで、今日のテーマはこれなんだけれど……」

杏介は机の中央に置かれた全集から付箋《ふせん》を外し、舜斗に見せた。

舜斗はのそりと上半身を起こして、無感動にタイトルを読み上げる。

「『走れメロス』」

「そう。ストーリーも知っているよね？　だからきっと、書きやすいと思うんだ」

期待していたのは、「まぁな」というギリギリ前向きな返事だったのだが。

「無理」

舜斗の返事はにべもない。

「さっきも言っただろ、チョロ山。俺は本を読んでも感想なんて出てこないんだよ」

不名誉な名称まで添えられる。杏介はガックリと項垂《うなだ》れた。同時に舜斗に賛同する。

杏介と読書感想文の距離は、綴や愛海というよりは舜斗に近い。「感想は？」と聞かれると、逆に頭の中が漂白されるのだ。提出義務があればなおさらである。原稿用紙と睨めっこして、一人で唸っていたことは一度や二度ではすまない。

杏介がうんうんうなずいていると、横から不思議な質問が飛んできた。

「でも、本は読まれてはいるんですよね？」

綴だ。舜斗が苛立ちを露わにしても涼しい顔で続ける。

「読んでも感想が出ないということは、物語をひと通り読まれているということです」

「そっか。そうだね」

杏介は膝を打った。

舜斗は読書を避けてきたわけではない。ちゃんと読んでいる。その上で、思うところが何もなかったのだ。宿題逃れを避けるのであれば、誰かの過去感想文を横流ししてもらうなり、代筆してもらえばいいのだから。

「潔く白紙提出を繰り返してきたのは先輩なりの筋なんですよね。『何も思い浮かばなかった』が、丹波先輩自身の答えなのですから」

「おい、スガリ。勝手に決めつけんな」

脅しのつもりだろうが、すんなりあだ名を呼んでもらえた綴にとっては正直逆効果だ。うきうきと声を弾ませる。

「丹波先輩、本を読むのはお好きですか？」

「嫌いだよ。筋が通ってないのは特にだ。これだってそうだろ」

舜斗はゲテモノでも出されたような顔をし、顎で机の上の太宰《だざい》治《おさむ》全集を指した。

「素質ありますよ、丹波先輩！」

するとなぜか読書感想部部長は声を上げて喜ぶ。十点満点の新体操演技を見たような浮かれぶりだ。

「先輩はすでにご自身の目で物語を読み解いてます。感想文を書けばきっと楽しくなりますよ」

「俺んちの隣の八百屋のほうが、もう少しマシなおだて方するぜ」

脇で見るだけでものぼせあがる笑顔だというのに、舜斗はニヒルに口の端を上げる。鼻を鳴らしせせら笑った。

それでも綴はへこたれない。三つ編みが緩むのも構わず、こてんと首を傾げる。

「では、こんな質問はいかがです？『走れメロス』の読書感想文を書くとっかかりとしてはぴったりだと思うんです」

「質問？」

「ええ」

魅力的な瞳が場にいる者の注意を搦《から》め捕る。舜斗はもちろん、杏介も、心ここに在らずといった愛海でさえもだ。誰もがその深い色をした双眸《そうぼう》を見つめる。

たっぷりと間を取ったあと、読書感想部の可憐な部長は、向かいの席に座る男に尋ねる。

「メロスとセリヌンティウス。丹波先輩はご自身を、どちらに似ていると思いますか？」

瞬間、舜斗が拳を振り上げた。

「丹波くん！」

激情の矛先は綴ではなく机に向かう。聞いているこちらの手が痛くなるほどの鈍い音が立つ。

舜斗は呻《うめ》き声一つ上げない。

もともと気迫のある雰囲気を纏《まと》っている青年だ。怒れば体中から激情がほとばしる。その熱が舜斗の感覚を鈍らせているのだ。

（なんで？）

疑問が杏介の喉まで迫り上がる。

舜斗の動きを見れば明らかだ。舜斗に綴を殴る意思はない。端《はな》から自分を傷つけるために拳を振るっている。

その理由が分からない。

誰でもない、舜斗が尋ねることを禁じている。

舜斗は黙ったまま踵《きびす》を返した。履き潰した上履きが家庭科準備室の扉の下枠を踏む頃、ようやく我に返った綴が鋭い声を発した。

「教えてください、丹波先輩！」

杏介は慌てて綴に向かって口元に人差し指を当てた。火に油を注ぐ行為だ。ここには島も用賀もいないというのに。

眼だけを動かして確認する。見れば、綴に呼ばれた男の背がぴたりと止まっている。そして振り向くことなくつぶやいた。

「……メロスだ」

舜斗は忌々《いまいま》しく吐き捨てる。

「だから俺はこんな所にいるんだ」

そして綴の追及を許すことなく、足早にB校舎の廊下を去っていった。

3

学食〝歩〟の窓の外は気持ちよく晴れわたっている。ただ、とにかく風が強い。

スマートフォンの通知を見れば市内に警報が出ている。いつもは中庭に出ているお弁当組も退避してきているのだろう。大混雑で、空いているテーブルを探すのもひと苦労だ。

杏介は前方で、忙《せわ》しなく頭を動かす森田《もりた》に尋ねた。

「僕が鶴羽に来る前、丹波くんには何があったんですか？」

杏介のプラスチックの盆の上には、鰯《いわし》のつみれ汁と筍の土佐煮、小松菜のおひたしの小鉢が並んでいる。食べきれる気がしなくてご飯は抜いていた。

ボリュームたっぷりの生姜焼き定食の皿をかちゃかちゃ鳴らし、森田が笑う。

「そりゃ、心当たりがありすぎて答えに困る質問だな。丹波のやんちゃ話を並べていたら日が暮れちまうよ」

先に席を押さえた堤《つつみ》が「おーい、こっちこっち」と呼んでいる。杏介は机に盆を置いたあとで少し手の平を打った。

質問を絞る。探しているものは一つだからだ。

「何か後悔が残る出来事とか、あったんでしょうか？」

森田は思わせぶりに周囲に目を配った。

「ってなると、あれかねぇ？　堤」

「だね。きっと、大崎龍一《おおさきりゅういち》のことだよ」

「おおさき、りゅういち？」

杏介が繰り返すと、堤はうなずいてスパゲティの皿を持った。口をガバリと開けてあっという間に空にする。行儀の悪いことに丸呑みだ。

小さくゲップをしてニタリと笑う。

「丹波の悪友さ」

龍一は中等部からの編入組で、舜斗とはあっという間に意気投合したのだという。二人とも漢《おとこ》気《ぎ》を重んじ、弱い者いじめを見過ごせないタイプなことも一因だった。

「格好いいじゃないですか」

杏介が褒めると、森田が力なく首を振った。

「敵わないと分かっている相手でも、なりふり構わず突っ込んでいくんだぜ。狂犬みたいなもんだよ。お前も一回巻き込まれてみろ。嫌でも分かる」

「そうそう。ボクシング部とのトラブルのときも大変だったんだから」

「ボクシング部！」

昨日、舜斗と睨み合っていた用賀が見ている部活の名前だ。会話の様子から何かはあったのだろうと思っていたが、ここに繋がってくるとは。

杏介は箸を止めて二人の話に聞き入った。

「ま、こんなの十年にいっぺんくらいしか起きない話なんだけどな」

気軽な声で前置きして、森田が詳細を語り出した。

三年前、高等部に進学した舜斗と龍一は、クラスメイトがボクシング部の先輩に理不尽な言いがかりをつけられているところに居合わせた。人によっては「体育会系の部活ならよくあること」と受け流すこともできる内容だったが、舜斗たちには通用しない。当然、諍《いさか》いになる。

話をややこしくさせたのが、ボクシング部側の生徒が大会での活躍を期待されていた有力選手だったことだ。部員を守ろうと用賀が部員を一方的に擁護したことで、ますます事態は収拾がつかなくなってしまった。

ひいては舜斗と龍一が「ボクシング部の夜練習後に学校の外で〝決着〟をつけさせろ」と宣戦布告する事態となったのだという。

「それで……どうなったんですか？」

杏介の質問に森田と堤の視線が交錯する。どちらが言うか、一瞬押し付け合ったのだ。

　腫れぼったい堤の眼に動きがないのを悟ると、森田は観念したように口の端を上げた。

「約束の時間になってもな、丹波が現れなかったんだよ」

「え？」

「森田くんの言葉を正すなら、丹波は約束の時間に遅れたんだ。五分、十分の話なんだけどね」

　しかし、そのわずかな差が舜斗と龍一の明暗を分けてしまった。

　約束の時間になっても親友と落ち合うことができなかった龍一は、一人でボクシング部の猛《も》者《さ》たちと対峙することになった。追い込まれてのこともあったのだろう。龍一は駆けつけた用賀の目の前で、ナイフを出してしまったのだ。

　もはや反省文や停学ではすまない。最悪の結果として、龍一は鶴羽学園から退学処分を言い渡されたのである。

　杏介は生唾を呑み込む。小松菜はとっくに喉を通ったはずだったが、胸には苦しさが残った。

「丹波は自分も大崎と同じ処分にしろって言って聞かなかった。だけど、そういうわけにはいかないよ。だって、その場にいなかったんだもの」

「結果、あいつは一人、今もおめおめと学生やってるってわけだ。そりゃ荒れるだろ？　俺だって、生き恥を曝《さら》してるって思っちゃうわな」

「丹波くんはどうして……約束に遅れたんですか？」

　言ってから愚問だと気づく。

森田も肩をすくめた。

「言うわけないだろ。っていうか、言えるわけがない。間接的とはいえ、自分のせいで親友の人生を変えちまったんだからな」

龍一も龍一で、舜斗の話を聞く素振りも見せず、黙ってパトカーに乗っていったらしい。

「そんな……」

杏介の脳裏に舜斗の後ろ姿が蘇った。

ありったけの侮蔑《ぶべつ》を込めて、舜斗はメロスの名前を口にした。理由は、『走れメロス』のあらすじを思い起こせば容易に想像できる。

（メロスは約束を果たす側の人だ）

だが、現実は物語のようにはいかない。

舜斗はメロスと違い、約束に間に合わなかった。

杏介は瞼《まぶた》をぎゅっと閉じた。なんというタイミングの悪さだ。事情を何も知らなかったとはいえ、舜斗に『走れメロス』を勧めたのは悪手中の悪手だったのだ。

「しかし、いきなりどうしたんだ？　お前、三年六組の授業は持っていないだろ？」

「実はですね……」

杏介はようやくランチ仲間に事情を白状した。全容を知った森田は目を丸くし、堤に至っては「ツイてるね、直山くん」と感心した声を上げる。

杏介はウェリントンフレームの奥をくしゃっと歪めた。

「完全に板挟みですよ。教頭先生は六年分の読書感想文が卒業の絶対条件だって仰ってますし、丹波くんは丹波くんで一文字も書くことなく家庭科準備室から出てっちゃいますし」

「ええ～、二留はさすがに退学だよ？」

「そうなんです。まずいんです」

「あいつ、実家の魚屋を継ぐって豪語してるからな。退学なんて大した問題じゃないって思ってるんだろ。かわいそうなのは親だぜ、親」

小学校から息子を私立に入れ、綱渡りとはいえここまでやってきたのだ。なんとか高校までは卒業してほしいと思うだろう。

森田同様、杏介は渋い顔を作る。

「ただ、長く読書感想文を書いていないことも事実なので、来年三月までに六年分も書けるかどうか……丹波くん、『走れメロスは筋が通らない話だ』って言ってたんですよね」

すんなり同意してもらえると思っての発言だ。なのに返事がない。

不思議に思い、杏介は頭を上げる。堤と森田は奇妙なものを見るような眼差しで、こちらに顔を向けていた。

「そりゃそうでしょ」

「へ？」

「直山。お前、読書感想部の顧問やってて、そんなことも知らねぇの？」

「え？　え？」

杏介はきょろきょろと左右を見た。

焦りで鼓動が速くなる。先輩教員二人の反応を見るに、世間知らずを披露したらしい。

弱々しい声で反論する。

「だって『走れメロス』ですよ？　友情物語の代名詞じゃないですか」

「結末はな。そこに至るまでのメロスの暴走ぶりといったら、目も当てられないだろうが」

街の老人の話を聞いただけで激昂し、王を刺し殺そうとする。

首尾よく城に忍び込む算段すらつけず、あっという間に捕まる。

勝手にセリヌンティウスを人質として指名する。

森田の列挙は立て板に水だ。

「極め付けは『私が間に合わない場合は、セリヌンティウスを絞め殺せ』だぜ？」

「具体的すぎるよね。君、腹の底ではセリヌンティウスのこと嫌ってるだろって言いたくなる」

「メロスって……そんなとんでもないこと言ってましたっけ？」

とうとう杏介は頭を抱えた。

『走れメロス』は短編小説だ。あらすじも諳《そら》んじられるほど有名だ。そのためか、隅々まできちんと読んだつもりになっていた。

「まったく気づかなかったです」

戸惑う杏介に堤は「直山くんは純粋だからね。気づかなくても当然かも」と目を細めた。

「もともとさ、『メロス』は太宰が借金トラブルを抱えたとき、身代わりにした友達を裏切ったことをきっかけに書いた話、と言われているんだ」

檀一雄《だんかずお》の『小説 太宰治』にあるエピソードだ。

檀が太宰の家族からの頼まれ事を受け、熱海にいる太宰の元へ行ったときのことである。太宰に言われるがまま、檀は熱海で豪遊するのだが、結果、旅館への支払いが滞ってしまう。そこで太宰は「菊池《きくち》寛《かん》の処に行ってくる」と言って一人東京に帰る。

熱海に置いていかれた檀は太宰の告げた言葉を信じ、友の戻りを待った。三日経ち、四日経つ。しかし、太宰は一向に戻ってこない。

結局、檀は業を煮やし、東京へ太宰の様子を見にいく。そこで衝撃の事実を突きつけられるのだ。

当の太宰は、菊池寛の元になんていなかった。約束のことなどすっかり忘れたように、井伏《いぶせ》鱒二《ますじ》と将棋に興じていたのである。檀を旅館に置き去りにしたまま連絡すら入れずに。

「酷い！　滅茶苦茶ですよ、それ！」

「そう。酷くて、滅茶苦茶な奴が書いた話なんだよ。『メロス』ってのはね」

心底、檀一雄に同情してしまう。何も落ち度がないのに、借金の人質にされ、旅館の人間から白い目で見られるだなんて。それこそセリヌンティウスではないか。

ちなみに、怒り狂う檀を迎えた太宰の口から出た名言……ないし珍言が、「待つ身が辛いかね、待たせる身が辛いかね」である。連絡が遅れた理由すら語らず、こんな煙《けむ》に巻くような台詞を吐かれては、百年の友情も冷めるというものだ。

堤がまとめる。

「つまりね。作者の太宰は誰が見てもお前が悪いだろ、それ、って言われるようなことをしていて、『メロス』もそこら辺を踏襲しながら作ってるっぽいの。でも結末はセリヌンティウスと友情を確かめ合ってのハッピーエンドでしょ？　無理があって当然、むしろ突っ込みどころに溢れちゃうのさ」

作中に転がる矛盾を突けば、『走れメロス』の感想文はあっという間に書ける、と堤は丸い眼鏡のレンズを鈍く光らせて結論づけた。

森田が白い歯を見せてケラケラ同意する。

「さしものスガリさんも、今回ばかりは出番なしかもな」

杏介は小松菜を摘まもうとした箸を止めて、ちらと脇の校内バッグを一瞥した。中にはすでに噂の人物から預かった原稿用紙が収まっていた。

4

授業のない五、六時間目のうちに『走れメロス』の感想文を読む。そう決めていたはずなのに、杏介の予定が実現することはなかった。少なくとも、五時間目一杯と六時間目の半分ほどの時間を、思いもよらぬ出来事の後始末に持っていかれたからである。

「風が吹けば桶屋が儲かる、とはいうけどね」

「そうですね、鳥《ちょう》海《かい》先生」

昼、名古屋市内を襲った突風は、思わぬものを鶴羽学園に運んできた。学園から程なく行った場所にある保育園の、お昼寝用の掛け布団だ。それも三枚。

布団が吹っ飛んできた、なんて親父ギャグを飛ばしている場合ではない。保育園はちょうどお昼寝時である。さぞかし困っているはずだ。

「申し訳ない。本当は僕が行くべきところなんだけれど」

「いえ、先生のせいで風が吹いたわけではないですし」

残念なことに、第一発見者の鳥海には授業があった。それでは、事務の小《お》田《だ》松《まつ》にお使いに行ってもらおうと訪ねてみたら、今日は二日酔いで休みだという。

頼みの綱がなくなった鳥海が白い眉毛を下げて困っていたら、たまたま杏介が通りかかった
……という次第だ。

「では、行ってきます」

ガーゼのカバーがかかった薄い布団を紐でまとめ、背負子《しょいこ》の要領で背負う。重さはセオドアの三分の二ほどだ。少し歩くくらいなら大した苦労ではない。

地上を吹く悪戯な風はいくぶん収まったが、上空ではまだ猛威を振るっているらしい。電線で区切られた空の中を、雲がめまぐるしく流れていった。

しばし歩くと、電柱の語る町名が「田代町」から「振甫町《しんぽちょう》」へと替わる。由来は明国からやってきた医者、張振甫《ちょうしんぽ》であり、付近には振甫の建てた鉈薬師《なたやくし》堂《どう》が残っている。門の左右に中国風の衣装を纏った像が構える、異国情緒溢れる寺だ。

件《くだん》の保育園は薬師堂のすぐ傍にある。

杏介は狭い園庭に巻き上がる土埃に耐えながらインターホンを押した。

「ごめんください」

「まあ、鶴羽の！　わざわざすみません」

名乗る前に杏介の正体が通じるのは、ジャケットにつけた鶴羽のアップリケのおかげだ。一目で学園関係者だと分かるようにと支給されたものである。

杏介を迎えた保育士たちは「そんな所まで飛ばされていったんですねぇ」と驚きを隠さず、布団を受け取った。二人とも、園児が孫の歳になりそうな風貌で、使い込んだエプロンを身につけている。

「丸洗いしたほうがいいかしら？」

「だったら、今日はクリーニング屋さんが来る日だから、一緒に持っていってもらいましょうか。ほら、噂をすれば」

保育士の言うとおり、先ほど杏介が歩いてきた道に軽ワゴンが入ってくる。シャボン玉模様が塗装された、一目でクリーニング屋だと分かるデザインだ。

「ども、クリーニング・ホワイトリリーです」

「こんにちは。大崎くん、いつもご苦労様」

瞬間、杏介はジャケットを脱いだ。

怪しさ満点の動作だし、途中で腕関節が変な音を立てたが構ってなどいられない。勘違いですめばそれでいい。

褪《あ》せたキャップの下から覗くのは青年の顔だ。顎髭《ひげ》こそ伸ばしているが、舜斗と同じ歳と言われても納得する。

そうでなくとも、男のポロシャツにはバッチリと『大崎龍一』の名札がついているのだから、十中八九本人だろう。名古屋広しといえど、こんなに簡単に同姓同名同年代の人間が見つかるとは思えない。

見慣れない人物であることはお互い様だ。龍一は誰だろうという疑問を隠さず、杏介の様子を頭からつま先までジロリと見た。それでも挨拶はきちんとしてくれる。

「こんにちは」

「こ、こんにちは……」

詰まり気味ではあるが、杏介も平静を装って応える。当然、心臓は早鐘を打つようだ。まさかこんなに学校の近くで働いていようとは思わなかった。それも街のクリーニング店という、爽やかささえ覚えてしまう職場だとは。

龍一はテキパキと配達品の運び入れを始める。その様子を見守る保育士たちに、杏介はさっと尋ねた。

「いつもあのクリーニング屋さんが配達してくれるんですか？」

「そうですよ。私たちも大助かりで。ほら、見た目がちょっと怖いじゃないですか。でも、ヒーローごっこの悪者役を進んでやってくれるんです。どれだけ揉みくちゃにされても怒らないから、園児もみんな懐いてて」

「へえ」

『メロス』の話ではないが、これまた印象がガラッと変わるエピソードだ。学校内のトラブルからナイフを出し、退学になってしまった生徒とは信じ難い。

「喧嘩して高校中退になったって言ってますけど、とんでもない。辛抱強くて立派な子です」

「セリヌンティウスみたいに？」

唐突な質問に、保育士たちの顔がキョトンとしたものになる。杏介は慌てて「すいません。独り言です」と訂正した。

今まで見聞きしたことを整理する。

保育士たちが語る龍一の姿は舜斗と正反対だ。鷹揚《おうよう》で我慢強い。すぐトサカにくる舜斗とは良いコンビだったのだろう。三年前の、あの夜までは。

龍一がナイフを出した理由は憶測でしか語られていない。ボクシング部に挑発されて太い堪忍袋の緒が切れたのかもしれないし、頼れる相棒が傍にいなかったからかもしれない。

（本人に聞くのが一番早いんだろうけれど）

なにせ目の前にいるのである。ついでに言えば、綴であれば間違いなく尋ねているところだ。臆面もなくいつもの自己紹介をして、相手の反応もお構いなしに切り込んでいく。

残念ながら己では度胸不足だ。杏介にできる精一杯は、気配を殺して怪しまれぬようこの場を去ることだけである。

しかし、風吹けば桶屋の力はまだ続いているらしい。

ワゴン車と教室の往復を繰り返していた龍一が、唐突に立ち止まった。

「なあ、あんた。そこ汚れてるよ」

「え？」

龍一が指しているのは誰でもない、杏介だ。その指は、つい先ほど露わになった杏介のシャツを示している。

袖に茶色いシミができていた。ジャケットを着ている間は気づかなかった。

「なんだろな。餡《あん》かけみたいにも見えるけど。ま、叩く感じに洗えば落ちると思うぜ」

間違いなく餡かけだし、犯人は堤だ。行儀の悪い先輩を恨むと同時に、杏介は己のとっさの行動を呪った。

「それともうちで預かろうか？　市内なら配達するよ」

「大丈夫です、大丈夫です」

杏介はたじたじと後ろに下がる。目が必死に退路を探す。

そこへ最悪のアシストが入る。

「あら、大崎くん。それは釈迦に説法よ」

「さっき教えてもらったんだけど、この方、家庭科の先生なんですって。鶴羽の――」

決定的な単語まで加わる。龍一の態度が見る見るうちに硬化した。

「鶴羽の？」

限界だ。誤魔化す術を考えることすら放棄し、杏介は踵を返した。

「ぼ、ぼ、僕、もうお暇《いとま》しますね」

「おい！」

そこから振り向くことなく全力疾走する。あくまで杏介の全力だ。自他ともに認める亀脚なのだ。一歩一歩は大きくともスピードはそこら辺の小学生の平均にも劣る。

さらに悪いことに、杏介がいるのは名古屋の丘陵地帯である。アップダウンの激しい道が至る所に潜んでいる覚王山《かくおうざん》だ。

税務署の角を曲がったところで早速登り坂とぶつかる。

目がくらみ、力が入らない。

「もう、無理」

杏介は龍一に捕まるより先に足を止め、膝をついてガードレールに突っ伏した。

ほどなく龍一にも追いつかれる。手には杏介が落としたジャケット、顔には呆れ笑いがあった。

「おいおい、面識もないのにお礼参りでもされると思ったのか？」

息が上がってしまってまともに返事ができない。

龍一は改めて杏介のいでたちをジロジロ眺めた。

「男の家庭科教師ね。あぁ、でも鶴羽の場合は森センの前例があるか」

森セン、とは森田の愛称だ。龍一の言うとおり、世にも珍しい男の養護教諭である。その数は杏介のような家庭科担当よりも遥かに少ない。

そうでなくとも司書の高井田《たかいだ》であったり社会の用賀であったり、鶴羽には肩書きからイメージできる人物像から遠く離れた教員がうじゃうじゃいる。学園長の肝いりの成果だ。

「俺が知らないってことはあんた、一昨年《おととし》以降に来たんだな」

「うん、まあ」

杏介は小ぶりなペットボトルを弄《いじ》りつつうなずいた。龍一に無理やり押し付けられたものだ。曰く、「俺が退学になった理由を聞かされてたから逃げたんだろ？　怖がらせたようなもんだ。そのお詫びだよ」らしい。

龍一は杏介に鶴羽学園の近況をあれこれ聞いていった。主に元担任であった鳥海の健康や、因縁浅からぬ仲だった用賀の様子だ。立ち去る気配を一向に見せないので杏介は心配になった。対する龍一は白い歯を覗かせる。

「配達は今ので最後だよ。それに俺、バイトじゃないから、時給の水増しにもならないぜ」

クリーニング・ホワイトリリーは龍一の実家だという。家業を継ぐため、まずは配達から仕事を覚えているところらしい。

「偉いね」

「不可抗力だって。高校中退の就職口なんてほとんどないからさ。それに俺、在学中は絶対実家なんて継ぐもんかって思ってたんだからな。その点……」

口が滑ったのだろう。龍一は一瞬、気まずそうな顔を覗かせる。それからちらちらと杏介の呆け顔を盗み見して、腹を括った。

杏介の両眼を捉えて真剣な声で切り出す。

「なあ、先生。丹波舜斗って知ってる？」

来るべき問いが来た。暴れる心臓を抑え、杏介は用心深く「まぁ」と曖昧《あいまい》に答えた。

「学校休んでないか？」

「来てるよ」

「喧嘩は？」

「昔よりは少なくなったって」

「クラスで浮いていないか？」

「そりゃ、周りからしたら先輩だからね。打ちとけている、とまではいかないけど……」

「今年は卒業できそうなのか？」

「心配なの？」

思わず尋ね返してしまった。矢継ぎ早の質問を浴びせられるとは思っていなかったのだ。

龍一はバツの悪い顔で、「しちゃわりーかよ」と言い返す。

「風邪ひいたあいつの代わりに配達バイク転がしたことだってある仲だぜ、俺は」

堤たちからも聞いている話だ。丹波舜斗と大崎龍一は莫逆《ばくぎゃく》の友。何をするにも二人一緒。

だが、あの夜からは違ったはずだ。

顔に出ていたのだろう。龍一は杏介の横顔をちらと見て口を噤《つぐ》む。しばらく視線をキャップのつばにやったあと、「誰から、どんな話を聞いているのかは知らないけどさ」と前置きした。

「舜斗はキレやすいし、上げた拳を自分で下ろせないところもあるけど、そのぶん強い奴に靡《なび》かずに、筋を通そうとするんだ。良い奴なんだよ。なのに高校も卒業できないってのは酷い話だ。そうだろ？」

「友達想いだね」

杏介は目尻を下げた。過去を引きずることなく、相手の〝今〟に心を砕く。親友らしい言葉だ。

だとするならば、この現状はなんだか歯がゆい。

杏介はようやく龍一から渡されたペットボトルを開ける。口の中を潤したあとでおずおずと切り出した。

「今の話さ、丹波くんに伝えてみない？」

龍一は紙礫《かみつぶて》でも当てられたような顔をしている。杏介は慌てて補足した。

「だって、二人ともお互いをすごく大事に思っているじゃない。丹波くんの場合は、大崎くんへの申し訳なさのほうが勝っているのかもしれないけれど……でも、今の話を聞けば、きっと気持ちが楽になると思うんだ」

我ながら妙案である。

龍一との仲が回復すれば、舜斗も心のわだかまりが解消されるはずだ。読書感想文に向き合ってくれるかもしれない。

だが龍一の答えは舜斗同様にべもなかった。

「無理」

「なんで!?」

よほどしょっぱい顔をしていたのだろう、龍一は声を上げて笑った。「俺はセリヌンティウスじゃないんだよ」と付け足すあたり、どうやら保育士との会話を聞いていたらしい。

「どっちかっつーとあれだ。王様だな。ビビりで卑怯なんだよ。だからもう舜斗には会えない。さっきの話もさ、あんたから舜斗に上手いこと言っておいてくれ」

「無茶だよ！」

杏介は泣きつくが、龍一は笑って受け流す。押し付けたペットボトルを指して、「それ、前払いな」と言い出す始末だ。龍一はそのままくるりと杏介に背を向けた。

こちらの足の遅さはすでに伝わっている。駆けっこが始まってしまえば勝ち目はない。

「待ってー！」

虚しく手を伸ばしても結果は変わらない。

杏介は坂の下に置いてけぼりにされてしまった。

5

杏介は体を引きずるようにして家庭科準備室に帰ってきた。

ズボンは膝をついた拍子に汚してしまうし、眼鏡が曇るほど汗をかいている。袖の餡かけなどもはやかわいいものだ。耳には龍一の去り際の台詞が残っていた。

舜斗に恨みはないのに二度と会うつもりもないという。

いったいどういうことなのか。

「分からない……」

疲れがますます頭を鈍くさせる。本当は別のことをやらなくてはならないのに。

杏介はため息交じりに自席につき、フェルト生地のバッグから紙束を取り出した。正体を小さな声でつぶやく。

「スガリさんの、感想文」

その観点は独特極まりなく、「斜め上を行く」と評すことができる。何度、度肝を抜かれ、翻弄《ほんろう》され、脱線に力なく突っ込み、結論に感心したか、数えればきりがない。

つまり、心身ともに疲れ切ったときに読むものではないのだ。

「読まずに帰ったほうが体にはいいんだろうけれど」

杏介は顔を上げなかった。大変珍しいことだが、森田と堤の蘊蓄《うんちく》に好奇心をくすぐられ、綴の感想文が気になったのだ。

太宰治は友との約束を守らなかった。檀一雄を熱海に置き去りにした。

なぜなのか。何を思ってのことなのか。一切合切語らない。代わりに『メロス』を生んだのである。物語の中には、やすりがけが甘い木彫のように数々の矛盾が含まれている。

読書感想部の部長はそれらをどう捉えるのか。

「よし」

意を決する。杏介は原稿用紙を引っくり返した。

目に、止め跳ねのしっかりした文字が飛び込んでくる。美しい筆跡だ。読みづらい、からは最も遠いところにある。

それでも杏介は固まった。

毎回のことだが、綴の読書感想文は出だしからぶっ飛んでいたのだ。

「〝スガリは激怒した。必ず、かの偏屈鼻曲な作者の罠を躱《かわ》さねばならぬと決意した〟」

杏介は原稿用紙をまた引っくり返した。ゆっくりと天井を仰ぐ。

口は、勝手に叫んでいた。

「こらーっ！」

怒号と呼ぶには情けない叫びだ。また体から力が抜ける。

記憶が蘇る。原稿用紙を渡す際、綴はいつにも増して楽しそうだった。なぜなのかがさっぱりで、綴自身教えてくれなかったのだが、やっと謎が解けた。

綴らしい遊び心だ。そして困ったことに続きがある。

「〝スガリには男の意地が分からぬ。スガリは中間子である。兄を持ち、弟と遊んで暮らしてきた。けれども男兄弟の心情に対しては、人一倍に鈍感であった〟。うん、分かる気がする」

感想文が告げるとおりだ。綴には兄と弟がいる。

面識はもちろんないのだが、杏介は勝手にシンパシーを覚えていた。

杏介の中で、綴が起こした「ハックルベリー・フィンの付箋事件」は過去のものとなっていない。本人に悪意はないのだが、いかんせん綴のすることは突拍子もない。きっと兄も弟も苦労したことだろう。

「兄弟喧嘩とか、どれくらいの頻度でしていたんだろう」

杏介は苦笑する。それから我に返った。

「って、違う違う。これは感想文なんだから。メロスオマージュの家族紹介に感心してちゃダメなんだって」

鼻先を原稿用紙に突っ込んで集中する。

「かの偏屈鼻曲な作者」というのはおそらく太宰のことだ。太宰のせいで散々な目に遭った檀一雄も、太宰の人情に絶望しながら、人情の風儀《ふうぎ》に憧れた男と称している。

杏介は教員に支給されているノートパソコンを開いた。検索窓に人物名を打ち込めば、画面に整った顔の男が現れる。

頬杖の上にある表情は悩ましそうだ。胸の内に渦巻くものをうまく口に出せずにいる。同時に、端からはまったく想像ができないことを企てているようにも見えた。綴の言うとおり〝罠〟を張るタイプなのかもしれない。

「この、『男の意地』っていうのがヒントなのかな？」

ひとりごち、続きに目を通す。幸い文学めいた表現は鳴りを潜め、いつもの綴の感想文が杏介を待っていた。

「〝『メロス』と語感を揃えるため、過激な表現を使ってしまいました。申し訳ありません。私の伝えたいことは至ってシンプルです。作者はこの単純明快に見えるお話を、非常に計算して作っていると思います〟……本当に？」

顔を上げて太宰の様子を窺う。画像が答えてくれるはずがないのは百も承知だ。が、尋ねてみたい気持ちがあった。

「〝それが特に表れているのは、メロスが約束に遅れそうになった経緯です〟」

杏介はいそいそと『太宰治全集』を取り出した。部活でも使っていたものだ。

『走れメロス』のページを開き、メロスがセリヌンティウスを人質にしたあと、その身に何が起きたのかを追いかける。

「メロスは都を発ったあと、急いで自分の村に帰った」

村に着くなり眠って体力を回復させ、大雨の中で妹の結婚式を強行する。翌日、寝坊に焦ったが、まだ大きな問題にはならないと判断し、村を出発する。死への恐怖に萎えそうになる気持ちを奮い立たせ、走ったり歩いたりを繰り返す。そして川の氾濫に出くわすのだ。

杏介は大きく唸った。

「どう見ても、メロスの行き当たりばったりな性格が災いしているだけに思えるけどな」

特に寝坊のくだりはいただけない。人一人の命、それも親友の命がかかっているのだから、もう少し真面目に取り組まなくては、セリヌンティウスに向ける顔がないというものだ。

杏介は独り言を隠そうともせず考え込んだ。パラパラと全集のページを捲《めく》る。メロスが「そんなに急ぐ必要もない」と言って、走ることさえやめてしまうシーンが目に飛び込んでくる。

綴の感想文とは真逆の展開だ。

「もしかして、僕。もう、太宰治の罠に嵌《はま》ってるのかな？」

杏介は恐る恐るつぶやいた。綴には気づくことができた何かを、見落としている気がするのだ。

「うーん……」

腕を組むこと数十秒。結局答えは浮かんでこない。

杏介は降参とばかりに項垂れ、再び原稿用紙の文字を追った。

「〝なぜなら、メロスの帰路は決めた時間に起きようとも、村を出た直後から全速力で走ろうとも、すべてがあとの祭りなんです〟。あ、そっか！」

ぱっと視界が開ける。杏介は全集のページを引き返した。メロスの行動を追い、時間を確認する。綴が言わんとしていることが分かったのだ。該当部分を興奮気味に読み上げる。

「『車軸を流すような大雨』だ！」

妹の結婚式の最中のことだ。降り出した雨が次第に強くなり、豪雨に変わった。村人は不吉なことだと恐れたが、せっかくの祝いの席である。メロス共々、すぐさま意識の外へやってしまう。

それが翌日、川の氾濫に化けるだなんて。

「〝実はメロス、その場の勢いで話しているように見えて、王様とは堅実な交渉をしています。村と都の距離は十里、およそ四十キロメートル。メロスの足で歩いて向かうと初夏の未明から日暮れまで時間を必要とします。シラクスの街の緯度から計算するに、だいたい十四時間だったと見てよいでしょう〟」

これも綴の感想文ではお馴染みなのだが、原稿用紙のアウトラインを丸無視した図表が添えてあった。分かりやすくてよいのだが、しみじみ自由に書いていると思ってしまう。

「〝この事実を踏まえ、メロスは王様に三日の猶予を懇願します。無茶な計画は立てていない、むしろ余裕を持たせているほうだと思うのですが、約束には遅れかけます。それは寝坊のせいでも、歩いたせいでもありません。個人の誠実さとは別の次元にある因果が引き起こしたことなんです〟」

杏介にも経験がある。赴任直後、野間垣の助手として行くことになった市内の高等教育フォーラムでの出来事だ。

余裕を持って家を出発し、忘れ物をすることもなくバス停に着いたのに、杏介は大遅刻をしてしまった。前日の道路工事が終わらなかったとかで、バスがまったく来なかったのだ。

野間垣には「工事があるという連絡のチラシは読んでいたのに、どうして完了が遅れることを予想できなかったんですか!?」と散々叱られた。危うく、僕の危機管理能力には限界があるんですと言いかけたことをよく覚えている。

「あれはさすがに理不尽だと思っちゃったもんなぁ。そっかー、メロスもだったのか」

作者の太宰治同様、自分勝手で滅茶苦茶な男なのかと思っていたが、なんだか親近感が湧いてくる。

そこで杏介はハッとなった。太宰の言葉が、改めて蘇ったのだ。

「『待つ身が辛いかね、待たせる身が辛いかね』」

太宰は菊池寛から金を借りるつもりだと言い、一人東京へと戻った。それは檀一雄を熱海に置き去りにするという、とんでもない仕打ちに繋がるのだが。

　実は事情があったのかもしれない。

　太宰が釈明しなかっただけで。

「〝真っ当な理由があるのに、作者は物語に逆の力を働かせます。メロスの寝坊や楽観的な考えを強調するんです。書かなければ、メロスは読者に悪い印象を持たれることもないのに。自分は悪くないんだと主張することを禁じているのか、それとも一種の自虐なのか。どちらにせよ、これが男の矜持《きょうじ》なのかな？　と思ってしまうんです〟」

　なるほどなと何度もうなずいてしまう。

　それから杏介はしみじみつぶやいた。

「これ、太宰は計算してやっているのかな？」

　だとしたら本当にすごい。森田や堤、そして綴。読者の数だけ見方が増えていくのだから。

「でも、読書感想文ってそういうもの……かも」

　読書感想部顧問なのに、なんとも自信のない言い草だ。

　杏介は自分自身に失笑する。それでも確信は変わらなかった。

　みんな同じ答えに行き着くのならば、わざわざ一人ひとりが読書感想文を書く必要なんてない。裏を返せば、一人ひとりが違う読み方をしても当然なのだ。

　太宰の緻密《ちみつ》な采配《さいはい》も手伝って、『メロス』は特に、読者によって印象が変わる作品となっているということなのだろう。

杏介は満足げに吐息をつく。ちょうど綴の感想文も結論に近づこうとしていた。

「〝しかし、太宰が始終、偏屈鼻曲であったかというと、そうではありません。『走れメロス』を読んだあと、檀一雄が太宰治を許したことからも分かるように、太宰は作中に、『素直な気持ちになれたら、本当はやりたかったこと』を混ぜ込んでいるからです〟。えぇ？ 檀一雄、許しちゃったの!?」

メロスに隠された太宰の本音云々より、そちらのほうが驚きだ。

あとで堤に教えてもらった話だが、『小説 太宰治』に明記されていることである。熱海の一件のあと、太宰は『メロス』を発表した。檀はそれを読むたびに、「憤怒《ふんど》も、悔恨《かいこん》も、汚辱《おじょく》も清められ」ると述べている。

確かに酷い目に遭ったが、結果、メロスのような素晴らしい作品が世に生み出されたので、すべてをチャラにしたということだろうか。

それとも感想文が示すとおり、太宰が『メロス』に隠したメッセージをきちんと読み取ったということなのだろうか。

「どっちだろう？」

杏介は急いで原稿を捲った。

そこにあるのは空。あるべきものが、ない。

「あれ？」

急いで前の原稿用紙を見る。間違いなく続きがある書きぶりだ。

しかし、手の中の紙はこれが最後である。一応、校内バッグから取り忘れていないか確認する。やはり何もない。

どうやら『手袋を買いに』以来のドジっ子が発動したらしい。

杏介は額に手を当てた。

「一番気になるところで切れちゃってるよ、スガリさーん！」

そのまま、重い体を椅子の背に預けた。

6

杏介が不完全燃焼の感想文を前にぐったりしていると、家庭科準備室の横開きのドアが開いた。

「あ、いたいた。鳥海先生からお使いに出たって聞いたからてっきり不在かと思ったけど。よかったわね、二人とも」

先輩家庭科教師の大江《おおえ》だ。言葉のとおり、後ろに女子生徒が二人並んでいる。

「スガリさんに、小野さん？」

意外な人物が来たと思った。というのも、読書感想部の活動は今のところ週二日、火曜日と木曜日としているからである。今日は水曜日。愛海が活動日でもなんでもない日にやってくるのは珍しい。

「どうしたの？」

「その……」

愛海の様子はすっかり入部前の状態に戻ってしまっている。瞳に落ち着きはなく、体は心なしか震えている。綴がいてくれなければ、家庭科準備室にたどり着くことさえ叶わなかった、そんな満身創痍《まんしんそうい》の感を匂わせていた。

杏介はすぐにピンときた。大江が掃除の確認をしに家庭科準備室から出ていくのを待ち、小さな声で口火を切る。

「丹波くんのこと？」

名前を出されるだけで顔が過《よ》ぎるのか、愛海は震え気味にうなずく。続きは綴が請け負った。

「そうなんです、直山先生。愛海ちゃん、丹波先輩のことを極度に怖がっていたじゃないですか。不思議だなって思って、ちょっと聞いてみたんです」

「いや、スガリさん。不思議も何もさ」

相手はあの〝鬼スジ〟丹波舜斗だ。杏介にしてみれば、涼しい顔で舜斗と接する綴のほうこそ不思議である。

杏介が指摘するも、綴は「だとしてもです」と退《ひ》かない。

「自己紹介もしない、というのは極端じゃありませんか？」

「あ」

昨日、愛海は舜斗に名前すら教えなかった。視線を下げ、気配を殺し、舜斗の意識の内側に入らぬよう必死になっていた。舜斗に気づいてほしくないことがあるかのように。

「それ、ちょっとおかしくない？」

愛海と舜斗は学年が三つ離れている。愛海が飛び級するか、今年のように舜斗が留年しない限り、同じ校舎で生活するという接点すら持てない。

杏介の疑問に綴は淡く微笑んだ。

「だから不思議なんですよ」

これ以上憶測を重ねても仕方がない。愛海は、綴と杏介の目の前にいるのだから。

「私……以前に会っているんです」

「会っている？　丹波くんと？」

「はい」

愛海はくるくると毛先が遊ぶ髪を揺らし、振り絞るように告白した。

「それも大崎さんが退学になった事件の、その夜に」

これには、杏介も大声を上げて仰《の》け反った。

大崎龍一が鶴羽学園を退学になったのは三年前のことだ。当時、愛海は中等部の一年生だった。まだ読書感想文漬けの生活も始まっておらず、帰宅部として毎日まっすぐ学校から家へ帰っていた。

その日も愛海は寄り道せずに家へ帰るつもりだったが、駅へと続く日泰寺《にったいじ》参道で声をかけられた。免許を取ったばかりの大学生の従姉妹である。

「家の車の保険登録が終わったので、ドライブしてみたかったんだそうです」

入学以来初めてといっていい放課後遊びだ。愛海は飛び上がらんばかりに喜んだ。着替えに一度家へ帰ることすら考えず、車に乗り込んで出かけた。

「名古屋港水族館に連れてってもらって、そのまま映画を見て、夜、家の傍まで送ってもらいました」

「愛海ちゃんのお家って？」

「矢田川《やだがわ》付近です。橋でいうと矢田川橋と宮前《みやまえ》橋の間くらいですね」

最寄駅は市営地下鉄名城線《めいじょうせん》のナゴヤドーム前矢田駅である。中途半端な時間に始まる映画を見たこともあり、愛海たちはナゴヤドームの隣にあるイオンに車を止めた。そこで夕食をとり、愛海は従姉妹と別れた。

　そして家までの帰り道で、舜斗と遭遇したのである。

「私、後ろから走ってきた丹波先輩とぶつかりかけたんです」

　一応、「どけ」という声はかかったが、気づいたタイミングが遅すぎた。愛海が振り返る頃には、舜斗は目と鼻の先の距離にいた。

　車にたとえるなら愛海が速度制限を守って走る軽自動車で、舜斗がクラクションを鳴らしながら暴走するトラックだ。ぶつかっていたらひとたまりもなかっただろう。幸い舜斗が間一髪のところで身を翻《ひるがえ》し、勝手に地面を転げたことで愛海は無事ですんだのだが。

「とにかく急いでいるって感じでした」

「まさにメロス、だね」

　綴の軽口に、愛海は淡く微笑んでうなずく。

　愛海を躱したあと、舜斗はすぐさま立ち上がった。ボロボロになった体に頓着《とんちゃく》することなく、愛海の元に向かってきた。

　愛海にしてみればたまったものではない。入学した日から聞かされていた怖い先輩が眼前にいて、しかも自分のことを同じ学校の生徒と認識しているのだから。

「学年とか、名前とか、聞かれたんですけど……私、何も言えなくて……」

一刻一秒を争う場面だったのだろう。業を煮やした舜斗はそのまま去っていったという。言葉に出すことなく、『今、ここで俺と会ったことは絶対に誰にも喋るな』と告げるように愛海をひと睨みして。

「それ以来、丹波先輩とは？」

「……会っていません。昨日までは」

鶴羽学園の中等部と高等部は校舎が離れている。共有で使っている設備も中央図書館を除いて存在しない。舜斗は校則違反のバイク通学を押し通しているため、駅でばったり鉢合わせする確率も低い。

それに、鶴羽の女子制服は小中高すべて同じデザインだ。見た目だけでは舜斗も愛海が何年生なのかあたりがつかなかっただろう。

「もし、先輩の記憶が蘇ったら……私、私……」

「大丈夫だよ、きっと」

杏介は愛海をなだめた。舜斗の様子を見れば、万に一つの可能性もないだろう。かつての愛海のアイデンティティ、癖の強い長髪だって跡形もなく消えている。

同意を求めて隣を見ると、綴は釈然としない顔をしている。

「どうしたの、スガリさん？」

「ちょっと気になることがありまして。愛海ちゃん。愛海ちゃんが丹波先輩とぶつかりかけたのって、何時くらいのことだったかな？」

　愛海は考えるように眼を左右に動かした。

「二十一時は過ぎていました。二十分とか、三十分くらいだったと思います」

「おやおや。奇妙だ」

　綴が大きく首を傾げると、合わせて三つ編みも揺れる。しっかり結っていないせいで、ちょうど毛束が一つ解けた。

「ボクシング部の夜練習の場所は、パロマ瑞穂《みずほ》スポーツパークだったはずなのに。練習終了……つまり、丹波先輩たちが〝決着〟を付ける約束の時間も、二十二時を予定していたと聞いたけどな」

「なんだって？」

　杏介は目を丸くした。頭の中には市内の地図が広がっている。

「全然位置が違うよ！」

　名古屋グランパスのホームグラウンドを含むパロマ瑞穂スポーツパークは、舜斗と愛海が出会ったナゴヤドームから南へおよそ八キロの距離にある。車で乗り付けてギリギリといったところだろう。

　ちょっと寄り道していくにはあまりにも遠い。

　これから大事な約束があるとするならばなおさらだ。

「まさかとは思うけど……」

言葉が自然と杏介の口から零《こぼ》れる。確証はないが一つの仮説が浮かんだのだ。

鍵となるのはやはり龍一だ。

龍一の舜斗に対する態度には違和感があった。舜斗から害を被った立場でありながら、どこか負い目すら匂わせていた。その理由は愛海と舜斗の邂逅《かいこう》から解きあかせるのではないか。

杏介は「ついさっきのことなんだけどね」と前置きして、二人に龍一と遭遇したことを報告する。

聞いた綴は大きな目をますます大きくし、「さすがですね、先生！」と大興奮で杏介を絶賛した。愛らしい女子高生に褒められる。字面だけは天国のような状態だが、内容はまったく嬉しくない。杏介は愚痴っぽく「寿命が縮む思いだったよ」と零した。

「とにかくさ。大崎くんは僕たちだけではなく、丹波くんにすら隠し事をしているみたいだったんだ。それで、ちょっと考えたんだけど」

一度言葉を切る。

「丹波くんの遅刻ってさ……実は、大崎くんが仕組んだことなんじゃないかな？」

暴走車のような舜斗と比べると、龍一は冷静で大人びた考え方ができる。友と一緒に破滅へ向かっていく友情ではなく、友だけでも破滅から遠ざける友情を選んだとしてもおかしくない。

たとえば龍一が、舜斗に偽の待ち合わせ場所を教える。あるいは、「ボクシング部の練習場所はプロチームが使っているところと一緒」といった曖昧な伝え方をする。そうすれば、舜斗はボクシング部と戦う意思があっても、約束の場所にはたどり着けない。途中、愛海と会ったことにも辻褄《つじつま》が合う。

「ですが、先生」

杏介が考えをひと通り述べると、恐る恐るといった調子の反論が入った。愛海だ。

「丹波先輩が必死で夜の街を走っていたのは、大崎さんの嘘にギリギリのところで気づいたからだとして……どうして、今も自責の念にかられているのでしょうか？」

もっともな指摘だ。

杏介の脳裏に、昨日の舜斗の剣幕が蘇った。あれは間違いなく自分の行動を悔いている顔である。

「先輩なら、そんな水臭いことされたら怒りそうです。ボクシング部ではなく、大崎さんと喧嘩になるのでは？」

「それは……そうかも」

杏介は苦しげに呻いて瞼を閉じた。

思いつきの推理はやはり通用しない。聞いた話は散らかったままで、真実とはほど遠い姿をしている。

「どうして丹波くんはナゴヤドームにいたんだろう？」

「分かりません」

愛海が力なく肩を落とす。それを覆うように、元気のよい声が飛んだ。

「確かめてみましょう」

綴だ。大好物の気配を察知して目を輝かせている。

「丹波先輩がメロスになった夜のことを、私たちで調べるんですよ」

嫌とは言わせない勢いである。

杏介は不安を抱きながらも小さくうなずいた。

7

鶴羽学園の最寄駅である覚王山駅から東山《ひがしやま》線に乗り、本山《もとやま》駅で降りる。帰宅ラッシュの流れに逆らうことなくホームを移動し、名城線の左回りの電車に乗ること四駅、市営地下鉄はナゴヤドーム前矢田駅に到着した。

改札を出た杏介たちは青色一色のコンコースに迎えられた。ホームチームである中日ドラゴンズの選手ポスターが壁一面に飾られているのだ。

「圧巻だね」

「はい。毎日通っていると、自然と選手の名前を覚えますよ。あと、出たところのコンビニ、ドアラ仕様なんです」

愛海曰く、試合があれば駅はもっと青く染まるという。ドームに向かうファンで溢れかえるためだ。今日は杏介や愛海のような格好の者がマジョリティだった。

「お待たせしました。やれやれです」

杏介が愛海のドラゴンズ四方《よも》山噺《やまばなし》に相槌《あいづち》を打っていると、改札で一度別れた綴が戻ってきた。今時珍しく、綴は携帯電話を持っていない。思い立ったらすぐ連絡、ということができない。今日は、居候先と真逆の方向に来ているため、一応家に電話を入れていたのだ。心なしか疲れた顔をしている。

「公衆電話が見つからなかったの？」

「いえ。それはすぐ見つかったんですが……」

聞けば、綴は叔母に何時に帰るのかと問われ、「補導されない程度に」と答えたのだそうだ。心配性の叔母でなくとも度肝を抜かれる発言だろう。あれこれ問いただされて当然だ。

心底同情しながら杏介は綴に尋ねる。

「ねえ、スガリさん。ここでいったい何を調べるの？　丹波くんはいないし、三年も昔のことなのに」

「ええ。先生の仰るとおり丹波先輩はいませんし、いた形跡も残っていないと思います。しかし、私たちは心強い手がかりを得ていますから大丈夫ですよ」

「得てたっけ？」

「得ていますとも。それは……」

もったいぶって言葉を溜める。

綴は手の平をかえしながら仰々しく後輩をさし示した。

「愛海ちゃんです」


綴が愛海に求めたことは至ってシンプルだ。

舜斗とぶつかった場所まで、あの日とまったく同じルートを歩くことである。

「そのためには、まず愛海ちゃんと従姉妹のお姉さんが別れた地点に行かないとね」

「はい」

杏介たちはナゴヤドーム前矢田駅の1番出口から地上に出た。

空は黒く塗り潰した塩梅《あんばい》になっているが、街は活気があって明るい。矢田は興行施設やショッピングモールが立ち並ぶ、市内でも有数のレジャースポットである。

道もきれいに整備されていて、駅から街の主役、ナゴヤドームへはペデストリアンデッキを歩くだけで、迷うことなくたどり着くことができる。これなら愛海のような女の子の一人歩きでも安心だ、と杏介は思った。

愛海と従姉妹が食事をとったイオンモールは、ナゴヤドームの真向かいにある。これも、ペデストリアンデッキで繋がっていた。

「ここです。ここで私はお姉ちゃんと別れました」

愛海はイオンモールの二階出口を指した。家はどちらなのかと尋ねると、迷うことなく来た方向を示す。

「ということは、また駅に戻るのかな？」

「そうです」

今しがた歩いてきた道をそっくりそのまま戻ればよいということだ。とても分かりやすいルートである。

「では、始めます」

一行は愛海を真ん中にして、ペデストリアンデッキを進んだ。道は三人が横に並んでも、まだおつりが来るほどに広い。突き当たりにはナゴヤドームが威風堂々と構えている。夜間ライトアップも手伝って、地球に降り立った宇宙船のようだ。非日常感溢れる光景だ。

二つ隣にいる綴も、なんだか上機嫌な顔をしている。己と同じような想像を抱いているのか。いや、綴ならば、己と違って具体的な作品名を伴っているのだろうと杏介は思い直した。

「建物一つひとつが大きいから、やっぱり距離があるね」

イオンモールからナゴヤドームへたどり着くだけでもちょっとした移動だ。ようやくドーム前広場にたどり着く。昼間の風はまだ残っている。広場の縁《ふち》に設けられた旗は千切れんばかりにはためいていた。

「次はこっちだよね」

杏介は案内板に従い駅の方向を指した。

しかし、愛海の返事はない。ドームを見上げて立ち尽くしている。

「小野さん？」

それだけではない。愛海は小さく口を開けて目を見開いている。突然降って湧いた感覚に体が凍りついてしまったような姿だ。

「間違えました」

そしてぽそりとつぶやいた。

「え？」

「あの日は違う道だったんです。ごめんなさい、スガリ先輩、直山先生！」

綴の要求は至ってシンプルだ。舜斗とぶつかった場所まで、あの日とまったく同じルートを歩くこと。だが、つい、いつもの癖で慣れている道を選んでしまったのだという。

「すみません、すみません」

愛海は何度も頭を下げる。焦ると地金の性格が出るのだろう、髪の毛が長かった頃を彷彿《ほうふつ》とさせる姿だった。

「小野さん、落ち着いて。誰も怒りも落胆もしていないから」

三年も昔のことなのだ。間違えても仕方がない。

杏介が綴の様子を見れば、鷹揚ささえ匂わせてうなずいている。

「とにかく仕切り直そう」

三人は再びイオンモールの二階出口に戻った。

「行きます」

愛海が真剣な面持ちで小さな足を踏み出す。

歩き始めたのはやはりペデストリアンデッキだ。しかし、ナゴヤドームまでは直進しない。歩道橋の手前で階段を降り、地上に向かう。

「ええっと、左手にイオンモール、通りを挟んだ右手にナゴヤドームが見えるってことは……」

杏介は改めてあたりを見回し、立ち位置を確認した。

「大きな長方形の辺の上を移動しているような感じです、先生。頂点は、北東から順にナゴヤドーム前矢田駅、ナゴヤドーム、イオンモール、それから駅でお話ししたドアラのコンビニですね」

ナゴヤドーム前矢田駅と歩道橋前の階段を結べば、ちょうど対角線ができあがる。つまり、愛海が「この道ではなかった」と断言した歩き方でも、これから行く道でも、どちらであっても駅にはたどり着く、ということだ。

右側のペデストリアンデッキと違って、左側の地上の道は走り去る車の音を近くに感じる。それに明かりが足りない。倉庫の裏を歩いているからだろうか。

杏介の心配げな様子を悟ったのか、愛海が「大丈夫ですよ」と声をかけた。

「いつもはデッキのほうを歩きます。それにほら、もうコンビニですから」

丸っこい指が全国チェーンの看板を指す。矢田公園の隣にあるコンビニエンスストアだ。話のとおり、中日ドラゴンズのひょうきんなマスコットが外観を彩っている。

ナゴヤドーム前矢田駅はもう目と鼻の先だ。名城線は地下鉄なので電車の姿は見えないが、代わりに高架線に設けられたゆとりーとラインの駅が見える。

タイミングよく駅を出発したガイドウェイバスが、その名のとおり下の道路混雑など知らん顔で専用道路をゆったりと走っていった。

「バスだけの道ってなんだか贅沢だよね」

「はい。近所なんで時々使うんですが、妙な気分になります」

なんて雑談を挟んでも信号は変わらない。なんだか長く待たされそうな気配もある。

杏介は何気なく尋ねた。

「またペデストリアンデッキに登ろうか？」

上下移動の手間はあるが、時間の節約はできるはず。そう思っての提案だ。

だが、すぐさま綴に水を差された。

「いけません、先生。私たちは今、愛海ちゃんの足取りという手がかりを追っているんですから。三年前、愛海ちゃんが信号を待ったならば、私たちも待たなくては」

「ええ……」

杏介は面食らった。どうやら、意地でも愛海の足取りを再現するつもりらしい。

青に変わった交差点を渡り、ゆとりーとラインの高架沿いに歩き出す。

舜斗とぶつかった場所を正確に伝えようとしているのだろう。愛海の歩調は今まで以上にゆっくりだ。景色を見落とさぬよう、何度も頭を動かす。

「このあたりです」

市営バスの停留所を越えたところで、ついに愛海は足を止めた。

「バス停の陰になってよく見えなかったんです。結果、先輩を避けきれませんでした」

道幅はペデストリアンデッキの三分の一といったところか。いきなり現れた人間を避けるには、いささか心もとない幅だ。

同じく、道の様子から読み取れるものがある。舜斗の足取りだ。

愛海の話では、舜斗は背後からいきなり現れたように見えた。つまり、愛海と違う道を走ってきて、ゆとりーとライン下で合流した可能性が高い。

さらに言えば、ドアラコンビニ前の交差点で信号を待っている間、愛海はこれから歩く道の様子を満遍《まんべん》なく眺めていたのだという。だが、舜斗の姿を見ることはなかった。

「だとすれば、丹波先輩がどこからやってきたのかは自ずと絞られます」

「まあ、ね」

歯切れ悪く返事をし、杏介は途方もないものを見るような眼差しで前方を捉える。

「この住宅街のどこか……だよね」

ナゴヤドーム前矢田駅より北側、ゆとりーとラインを越えたあたりから街の景色は一変する。徒歩圏内に野球場があるとは到底思えない、ごくごく一般的な店舗や家が並んでいるのだ。舜斗はこのエリアのどこかから飛び出してきたのだろう。

「よし。行ってみましょう」

言うやいなや、綴は細道に入り込もうとする。

「待って、待って、待って」

杏介は急いで猪突猛進《ちょとつもうしん》娘を引き止めた。

綴の集中力と根気は折り紙つきだ。中央図書館の本一冊一冊に勧誘チラシならぬ勧誘しおりを挟んだエピソードが裏付けている。このままでは本当に〝補導されない程度まで〟粘りだしかねない。

杏介は優しく声を掛ける。

「ね、スガリさん。今日は遅いし、ほどほどにして帰ろうよ」

綴は頬を膨らませて反論した。

「しかし先生、このままでは惜しいところで八方塞がりです。捜索範囲が広がってしまったという意味では、八方広がりかもしれませんけれど」

おめでたくはありませんね、と蛇足な感想を口にする。相変わらず瞳の色は深く、何を考えているのかよく読めない。

ただ、杏介は綴の台詞に聞き捨てならない文句が交ざっていることに気づいた。

（「惜しいところ」で？）

パズルのピースが少しだけ足りない。綴はそう言っているのだ。己としては、何から何までさっぱりなのに。

このままではまずい。少しは考える努力をしないと、もともと存在感の薄い顧問の沽券《こけん》が消えてなくなってしまう。

杏介は渋い顔で手の平を打った。杏介固有の考えるポーズだ。学園の外でやると一層目立つ。言葉なく、そこに直山杏介がいるとアピールするようなものだ。

知り合いから見れば一目瞭然となる。

「あれ？　もしかしてそこにいるの、直山先生なの？」

「え？」

見れば、エプロン姿の女性がひらひらと手を振っている。覚王山のアイリッシュパブ、〝フィッツ・ロイ〟の店主、薫《かおる》だった。

恐ろしい偶然だ。学園の傍ならともかく、こんなところで出会うとは。いでたちからして休みというわけではないらしい。薫の足元には大量の買い物袋がある。ロゴから、イオンモールで購入し、ここまで一人で運んできたのだということが窺えた。

「もう無理。師匠に続いて私の腰も死んじゃう」

「こんな所でどうされたんですか？」

「まあ、不思議に思っちゃうよねぇ。見てのとおりお仕事よ。うちには一銭にもならないタイプの。いわゆるご奉公ってやつ」

相変わらず、薫は一を聞くまでもなく十を教えてくれる。

曰く、矢田には薫の師匠格にあたる人物が開いている店があるのだという。もともと高齢で、体の節々にガタがきていたのだが、先日とうとう腰を痛めてしまった。店の前に置いているベンチを濡らしたくないからと毎日出し入れしていたのが祟ったのだ。

歩くたびに激痛に襲われる。このままでは店を開けられない。しかし材料は発注してしまった。やる気だってある。

「そうだ、俺には弟子が一人いるじゃないか。店の味を再現できるまでしごいてあるし、あいつを呼び寄せて顎で使おう！　……ってわけで召集されたのよ。酷いでしょう？　早速足りない材料の買い出しよ」

「お店は近いんですか？」

「もう一分とかからずに着くわ。新入荷だって言われてお酒も試飲しちゃったし、しょうがないから歩いて買い物に出たんだけど裏目に出ちゃった。酷いわよね。人の腰だと思ってこんなもの頼むんだから」

そう言って薫は袋の中を見せる。中には米やら味噌やらがぎゅうぎゅうに詰まっていた。

すぐさま綴が前に出る。

「短い距離ですが、お持ちしましょうか？」

「私も手伝います」

愛海が続けば薫は目を輝かせる。「さすが鶴羽！」と大絶賛だ。軽くなった体でくるくる回りながら上機嫌に先導する。

「鶴羽学園のバイトは飲食業界でも評判いいのよ。卒業生もみんなしっかりしてるしね。そうだ、有名人だから知ってるんじゃない？　タンタンこと、丹波舜斗くん」

「丹波くん!?」

当人が聞いたら頭の先まで真っ赤になりそうな情報がくっついている気がするが、状況が状況だ。杏介は別の部分を深掘りした。

「ご存じなんですか？」

「ご存じも何も、師匠の店は魚介メインだから。丹波くんに配達に来てもらわないとなんにもできないわよ」

「では、先輩はいつもこのあたりに？」

「来るわよ〜、荷台付きのスーパーカブで」

登下校でも使っているバイクだろう。本来の役割は薫の言うとおり店の配達だ。矢田にも来ているに違いない。

しかし杏介の顔は晴れなかった。

あの日の舜斗はバイクに乗っていなかった。歩道で、愛海とぶつかりかけたのである。そうでなくとも、愛海と舜斗が出会ったのは夜の九時三十分頃。飲み屋はすでに開店している時間だ。

やはり分からない。ボクシング部との大一番を直前に控えながら、舜斗はこんな所でいったい何をしていたのか。

「さっぱりだよ」

杏介は買い物袋を持ったまま泣き言を漏らす。

事情を知らない薫だけが呑気に手をブラブラさせた。

「丹波くん、いいわよねぇ。決めたことはちゃんとやるし、面倒見いいし。髪形もバシッと決まってるし」

「最後のは校則違反なんですけどね」

「あはは。直山先生は注意しなきゃいけないから大変か」

薫はひとしきり笑ったあと息をつく。声の調子をいつもより硬くし、「お願いだから指導はお手柔らかにね」と口火を切った。

「さっきも言ったとおり、丹波くんって根は全然悪い子じゃないのよ。市場の人も期待しているし。なんだけど……お父さんがねぇ」

舜斗の父は魚屋の主、要は経営者の側面を持っている。そのせいか、長男である舜斗には人一倍厳しく接しているのだという。

店の後継についても、悪行ばかり働いた挙句、高校も卒業できないような奴には絶対に譲れないと息巻いているらしい。

「まずいですよ、それ！」

杏介は悲鳴を上げた。

留年生の舜斗には特殊な課題が設けられている。六年分の読書感想文の提出だ。薫の話が本当ならば、もし舜斗がこのまま感想文の提出を放棄すれば、卒業どころか店を継ぐことさえできなくなる。

「なんとか力になりたいけれど……」

今、舜斗を説得に行っても昨日の二の舞になるのは目に見えている。やはり謎を解き、舜斗の隠している後悔の正体を突き止めなくては。

「そのとおりです。直山先生」

綴が力強く同意する。愛海も、過去の恐怖を振り切るようにうなずいた。

「あら、心が一つになった音がしたわ」

薫が軽やかにターンをしてこちらを向いた。話の全容は分かっていないはずだが、雰囲気で楽しくなってきたらしい。「グラスがないのは寂しいわね」とまで言い出す始末である。

「お酒はダメですって」

杏介が慌てて止める。が、薫は自己完結した得《え》たり顔だ。夕涼みにちょうどよさそうなベンチが置かれた店へと駆けていく。

「師匠！　鶴羽学園から来た素敵な三人に一番良いやつ出したげて！」

夜とはいえ、平日の酒を入れるにはまだ早い時間である。まだ客が入っていないのか、店の中はしんとしている。その静寂を壊すように、厨房からゆっくりと老人が杖をついて出てきた。

薫の肩越しに杏介たちの姿を捉えると、開口一番呆れた声を上げる。

「鶴羽ぇ？　なんだ、また鍵を失くしたのか？」

まったく文脈の読めない質問だ。みんながキョトンとし、頭の上にクエスチョンマークを浮かべる。

「そういうことですか」

一人、綴だけが冴えた表情を浮かべていた。

8

「絶対、うまくいかないよ」

翌日、五月の抜けるような空の下、杏介は情けない声を上げた。

行楽日和に水を差すには十分な調子だった。

「おや、先生。私は大成功を確信していますよ？」

対する綴はあっけらかんとしている。背中に降り注ぐ午後の日差しのような返事だ。

杏介たちがいるのは、ナゴヤドームから北に歩いた先にある矢田川河川敷だ。愛海の家の近くと言い直すこともできる。

川岸の中に設けられた大幸《だいこう》公園では、子どもたちが歓声を上げながら縦横無尽に駆け回っている。ピクニックに連れてきてもらっているのだろう。楽しそうなことこの上ない。杏介と愛海だけがお通夜状態である。

「普通おかしいと思うって。こんなところに柳橋中央市場からお魚を取り寄せる人はいないもの」

「目の前に川があるんだから、自分で釣っとけって言われそうですよね」

「なので海魚のアジを頼んでおきました。フライにすると美味しいですよ」

そういう問題ではない。苦言が杏介の舌の上に載る。なんとかそれを呑み込んで、代わりに弱音を吐き出す。

「スガリさん。情けない話で申し訳ないんだけど、この先、万が一っていうことがあっても僕は本当に腕っ節が弱いんだ」

「大丈夫ですよ、直山先生。丹波先輩と大崎さんは真剣に相手のことを考えているから、ここまですれ違ってしまったんです。真実を知れば、きっと元の二人に戻りますって」

「だといいんだけれど……」

言い終わると同時に、矢田川の土手に荷台付きのスーパーカブが現れた。褪せたようにも見える色をした学ラン。鶴羽の制服だ。二輪通学は校則で禁じられているため、誰が来たのかは容易に推し量れる。

ツートンカラーのカブはスピードを緩めることなく、大幸公園に乗り付けた。杏介、綴、愛海の数歩手前で止まる。たまらず愛海が一歩たじろぎ、杏介の陰に隠れた。

代わりとばかりに、綴が一歩踏み出す。

「こんにちは。丹波先輩」

「やっぱりお前らか」

ヘルメットを脱ぐと、鬼の肌のような色をした髪がのぞく。

声は低い。とはいえ平静の部類だ。怒りの導火線にはまだ火がついていないようで、舜斗の態度には落ち着きがある。せっかくの放課後だというのに、悪戯電話のような綴の注文に律儀に制服のまま応えているあたりにも表れていた。

「注文をダシに俺を呼ぶな。しかも、なんでアジが五尾なんだよ。お前だけ一人で二枚食べるつもりか？」

「まさか。そこまで食い意地は張ってませんよ。ちゃんともう一人お呼びしています」

「もう一人？」

舜斗の疑問に答えるように、綴は再び土手に視線をやる。タイミングよく、今度はかわいらしい装飾を施した軽ワゴンが乗り込んできた。

躊躇《ためら》いがスピードに表れている。バックして引き返そうかとさえ考えているように見える。

杏介と運転手の目がカチリと合う。髭が覗く若い男は一瞬驚いたように口を開けたが、そのまま口角を上げて苦笑いを浮かべた。

スーパーカブとも距離を取りながら停止してドアを開ける。

「冗談キツイぜ、先生。昨日の俺の話を聞いてなかったのかよ？」

龍一の言葉に、舜斗のきつい眼がジロと動く。

杏介は首がもげそうになるほど激しく横に振った。すかさず綴が割って入る。

「いいえ、直山先生の差し金ではありません。すべては私、スガリが仕組んだことです」

丁寧な挨拶と聞きなれない名乗りに面食らい、龍一は言いたいことが吹っ飛んでしまったようだ。キャップを少し上げて応える。すでに綴のペースに乗せられていることが如実に分かる仕草だった。

「私は鶴羽学園で読書感想部の部長をしています。今日、お二人をお呼びしたのは、『走れメロス』という作品について話を聞いてほしいからです。幸いにもそれは、お二人が袂《たもと》を分かつことになった夜を考察する手助けにもなりました」

龍一の眉の山と、舜斗の眉の端が同時に吊り上がる。綴はどちらも見えていないかのように涼しい顔で続けた。

「もちろん、三年も昔のことですから証拠らしい証拠はありません。すべては証言から組み立てた仮説です。間違っている部分があれば遠慮なく申し出てください」

舜斗の鼻が鳴る。綴の〝仮説〟を端から否定する勢いだ。

「ずいぶんと時間を無駄に使ったようだな。誰に何を聞いたところで、たどり着く場所は一つだろ」

忌々しく結論を繰り返す。

「全部俺のせいなんだよ。ナメたことをしてこいつとの約束に遅れたんだ」

やはりだ。舜斗の認識は杏介が見聞きした話と一致する。

あの日、舜斗は約束の時間に遅れた。理由は、集合時間の直前までナゴヤドーム前矢田にいたから。それはボクシング部に取り付けた決戦の地、パロマ瑞穂スポーツパークから遠く離れた場所である。

結果、龍一は鶴羽学園を追われた。

こうして、親友と違う日常を送っている。

「逆ですよ、丹波先輩」

だが綴は揺るがない。

「私の結論は丹波先輩のお話を加味した上で、逆なんです。ご自身で評価されているように、先輩は間違いなくメロスのような方です。その血は熱く、義心に溢れています」

「おい。やめろ」

「謙遜なさらずに。格好いいですよ」

「そういう意味で言ったんじゃねぇ！」

不良に凄まれてもどこ吹く風だ。おちょくるような笑みさえ浮かべている。

「先輩、慣れてますね」

杏介の背後で愛海がぽそと漏らした。

杏介もうなずいた。恐らくあれが兄に睨まれているときの綴なのだろう。飄々とした様子を見るに、喧嘩の絶えない家だったのかもしれない。

舜斗の視線が続きを促す。綴は朗々と続けた。

「すぐカッとなるところも、自分の中でこうと決めたことをなかなか覆せないところもそうですね。大崎さんはあの日、そういう丹波先輩のメロスな性格を上手に利用したんです」

「利用だと？」

「えぇ。活用した、のほうがしっくりくるかもしれません」

表現が変わることで杏介の中のイメージも変容する。

柔道の技のようなものだ。力ずくで相手を投げ飛ばすのではなく、向かってくる相手の力を使って目的を果たす。

「時系列に沿って整理しましょう。事の発端は丹波先輩と大崎さん、お二人とボクシング部の間に諍いが生じたことです。それは収束点を失い〝決着〟という全面衝突に繋がりました」

堤から聞いた話だ。舜斗と龍一は二人という圧倒的不利な数字を構うことなく、学園内で幅を利かせるボクシング部に喧嘩を売った。それも元チャンピオンに鍛えられたエリートボクサーたちである。

「丹波先輩はボクシング部の悪政に怒りと闘志を燃やしていたかと思いますが、大崎さん、あなたは違ったと思います。〝決着〟の結果、そして丹波先輩のお父様の反応も予測していた。だから丹波先輩を喧嘩から遠ざける決心をしたんです」

「スガリさん、それ……」

続きは、杏介の口の中に留まる。

綴の話は昨日の己の思いつきそのままだった。龍一は自分を、メロスの第一の友であるセリヌンティウスではなく、あの手この手でメロスの道を阻んだ王・ディオニスのような人間と称したのだ。それは舜斗の将来を思った龍一が、舜斗を喧嘩から遠ざけるために妨害行為をしたからではないか、というものである。

愛海に痛いところを突かれ、なかったことにした考えだったのだが……。どうやら人知れず、綴の中で育っていたらしい。

「大崎さんが用意した罠は、太宰治のように大胆かつ精巧でした。結果はご覧のとおりで、丹波先輩は遅刻を自分のせいだと考えられています」

そんな都合のいいことができるのだろうか。杏介はそっと舜斗の様子を窺う。

視線の先で、舜斗は自分を御するように一度だけ息をついた。

「いろいろ聞き捨てならねぇが、とりあえず措《お》いておいてやる。俺の質問に答えろ、スガリ。お前、三年前にあそこにいたのか？」

何を指しているのかは杏介にもすぐさま分かった。愛海も同様のようで、少し出していた体をまた杏介の陰に隠してしまう。

綴は心得たように惚《とぼ》けた声を出した。

「なんのことでしょう？　私は去年、鶴羽学園に転校してきましたから。端的に種明かしをすれば、いろんな人に聞いて回ったんですよ。特に矢田の居酒屋〝ゴールデンバット〟でお話を聞けたのが一番良かったですね」

刹那に舜斗の顔がひきつった。驚愕と混乱が折り重なっているのがよく分かる表情だ。

もっともだと内心うなずく。杏介もまさか、最大の謎であった「舜斗はなぜナゴヤドーム前矢田駅にいたのか」が明らかになるとは思っていなかったのだから。

「先輩は三年前、バイクの鍵を失くされたんですね。配達……それから通学にも影響が出て大変だったと思います。しかし状況はあの日に一変する」

三年前のこととはいえ、〝ゴールデンバット〟の老店主もよく覚えていた。舜斗と龍一が〝決着〟をつけようとしていた日の夜のことである。贔屓《ひいき》にしている魚屋のロゴキーホルダーがついた鍵が届けられたのだ。持ってきたのは若い男で、「店の前に落ちていた。警察に届けるのは面倒だから、この店で預かってくれ」と言うだけ言って去っていった。

店主はすぐさま魚屋に連絡した。すると、舜斗が血相を変えて店に転がり込んできたのだ。だいたい夜の九時くらいの出来事である。

（大崎くんなら、丹波くんのバイクの鍵を盗み出せる）

龍一は舜斗に代わってバイクを運転したことすらある。鍵の形状や、普段体のどこにつけているのかも知っているはずだ。合わせて、舜斗がどれだけ真剣に家の配達業に向き合っていたのかもよく理解している。

配達バイクは舜斗の生命線。鍵を取り戻せるかもしれない、となれば間違いなくその日のうちに取りにいくだろう。たとえそこが約束の場所とは真反対にあるナゴヤドーム前矢田駅であっても、だ。

「でもなぁ……」

杏介の顔は晴れない。

「それだけじゃ罠としては成立しないと思うんだ」

「私もそう思います」

沈んだつぶやきを愛海が拾った。

「鍵を〝ゴールデンバット〟に預けただけでは、丹波先輩の遅刻は確実なものにはなりません。先輩の考え次第で回避できるからです」

〝決着〟をつける約束の時間も場所も確定している。〝ゴールデンバット〟から鍵の話を聞いた時間と場所もだ。舜斗には計画を立てる余地がある。

〝ゴールデンバット〟を経由して、パロマ瑞穂スポーツパークに行くのが時間的に厳しいのであれば、次の日に取りにいけばいい。

やはり無茶な行程を敢行した舜斗に非があるのではないか。

杏介は悩ましげに眉を寄せ、綴の様子を確認する。三つ編みの少女は、心許なさを隠す素振りすらなかった。

「先ほど申し上げたとおり、大崎さんの罠は大胆かつ精巧なんです。丹波先輩は決して、慢心してバイクの鍵の回収に向かったわけではありません。九時には〝ゴールデンバット〟に到着していたというお話が、いい証拠です」

ナゴヤドーム前矢田駅からスポーツパークの最寄駅である瑞穂運動場東駅までは電車で十六分。徒歩の時間を入れてもトータル四十分とかからない。余裕のあるスケジュールだ。

「ですが、丹波先輩はもう絶対にパロマ瑞穂スポーツパークへは時間どおりにたどり着けないんです。大崎さんの見えない誘導に従い、丹波先輩はルビコン川を渡ってしまった。それも一見穏やかに流れている、鉄砲水なんて来る気配のないルビコン川だったんです」

舜斗が勢いよく龍一のほうを向いた。

「あれはたまたまじゃなかったのかよ!?」

「あれ？」

ぱっと思いつくのは名城線の事故だ。鍵を回収したあと、舜斗は地下鉄に乗ってパロマ瑞穂スポーツパークを目指すはずだからである。しかし、一人の男子高校生を約束の時間に遅刻させるために、龍一が公共交通機関に工作をしたとは考え難い。それこそ全国ニュースレベルの騒ぎになってしまう。

「じゃあ、いったい……？」

「当てずっぽうじゃなくてもはっきりと分かることですよ、先生。昨日、愛海ちゃんが示した道のりが教えてくれています」

杏介は背後を見た。

自分の記憶と舜斗が嵌った罠が、一本の糸で繋がっていると気づいたのだろう。愛海は杏介のジャケットの裾《すそ》を摑んだまま目を見開いている。

小さな声で問いに答える。

「ドームライブが……あったんです」

やっと杏介の頭の回路も繋がった。時間に余裕を持った行動を取ったにもかかわらず、なぜ舜斗が約束の時間に遅れたのか、鮮明に想像できる。

舜斗が用事を終えた時間とドームライブの終了時刻が被ったのだ。水の流れならぬ人の流れが、ナゴヤドーム前矢田駅のホームに向かう舜斗を阻んだのである。

ナゴヤドームの座席数は約四万九千。野球と違い、スタンディングアリーナが用意されることもあるので、集客人数は五万を軽く上回る。

ライブ終了後、それが一気に最寄駅に移動したら？

愛海がペデストリアンデッキを避けて家に帰ろうとした理由もうなずける。デッキが人で埋まり、通り抜けなんてできなくなるからだ。だから愛海は普段の道を避け、信号を待ってでも地上の道を進むことを選んだ。

舜斗が愛海とぶつかったのは、〝ゴールデンバット〟からナゴヤドーム前矢田駅に向かったあとのことだろう。

降りてきたときには微塵も気配がなかった大混雑に迎えられ、舜斗は地下鉄の駅を飛び出した。隣の砂田《すなだ》橋《ばし》駅ならばまだ電車に乗れるのではないかと考え、夜道を全力疾走したのだ。

「こうしてメロスの悲劇ができあがります。一聞すれば、丹波先輩の選んだ行動が、実際には大崎さんが仕組んだ罠が、丹波先輩と大崎さんの運命を分けたんです。違いますか？　大崎さん」

綴が確認する。龍一は肩を揺すって笑い出した。杏介と追いかけっこをしたときと違い、憑《つ》き物が落ちたような顔だ。

「スッゲェな、お前の後輩」

大正解、ということなのだろう。綴は満足げに笑みを深くする。

裏腹に、杏介の胃はしくしくと泣き出した。

龍一に関してはこれでいいのかもしれない。問題は舜斗だ。これは三年越しの暴露である。気の短い舜斗が冷静に受け入れるとは到底思えない。十中八九、血の雨が降る。

杏介は恐怖に慄く。なだめるように、綴が「心配いりません」と声をかけた。

「ここから先も、私の読書感想文どおりです」

「え？」

「最後のほうに書いたじゃないですか。太宰は、『メロス』の中に、太宰が本当にしたかったことを込めたって。きっと、丹波先輩も同じですよ」

愛海の告白のせいですっかり失念していた。

今回の綴の感想文は肝心なところが抜けている。結論だ。

『走れメロス』には背景となった事件がある。太宰治と檀一雄の熱海騒動だ。檀一雄は太宰に酷い仕打ちを受けた。それこそ、一生口を利かないと心に決めてもおかしくないものだ。だが、『メロス』読後は怒りを収め、太宰を許す気持ちさえ抱いている。

なぜなのか。好奇心を抑えつつ、杏介は「その件なんだけどね」と、原稿用紙が一枚足りなかった旨を伝えた。

「なんと！」

綴は飛び上がらんばかりに驚く。

同世代どころか、杏介や森田の歳の者でも、「マジ？」の一つくらい出てきてもいい場面だというのに、綴の言葉遣いは妙に年を食っている。祖父母、ひいては曾祖母の影響だろう。

「仕方がありません。口頭で失礼します。太宰はメロスのとった行動の中に、自分の本心、つまり『本当はこうしたかった』という思いを込めているのだと思います。檀一雄はそれを読み取り、太宰を許したのではないでしょうか？」

「メロスの、行動？」

「ええ。思い出してください、先生。困難を乗り越え、磔刑場《たっけいじょう》に駆け込んだメロスが一番初めにセリヌンティウスにしたことを」

瞼を閉じる。意識を研ぎ澄ませる。

見えるのは、綴の合わせたピントを通した『走れメロス』の物語だ。

太刀打ちできない因果というものは確かにある。余裕を持って臨んだはずの帰路を阻んだ濁流もそうだ。

メロスはそれをいくらでも理由にすることができる。開口一番、セリヌンティウスに陳情するのだ。

――ああ、聞いてくれ友よ。

――どうにもならないことが起きたのだ。

だがメロスは、決して弁明しなかった。

「悪かった！　許してくれ、龍一！」

メロスはセリヌンティウスに謝った。

舜斗が今、龍一に向かって頭を下げているように。

自分の行いを正当化したい気持ちや避けることのできない不運への恨み言を取り払い、誠意を示した。

目の前の男と、友達でいたいから。

「何言ってんだよ……」

驚いたのは龍一だ。

「全部、俺が悪いんだって。そのスガリって子が言うとおり、俺がお前を嵌めたんだ」

「お前がそこまでやったのは、俺が聞く耳持たなかったからだろ。本《もと》を正せばやっぱり俺だ。だから謝る。ダチなら絶対通さなきゃいけねぇ筋なんだよ、これは！」

口癖を駄目押しに使われては、誰も何も言い返せない。

龍一は今までで一番の苦笑いを浮かべる。杏介は胃袋がぴたりと泣き止むのを感じた。見れば、愛海も体を完全に杏介の背から離している。綴の笑みも和やかだ。

「現実ではニヒルに逃げてしまいましたが、本当は太宰治も檀一雄に謝りたかったんだと思います。それを作品に込めるというのは粋と言えば粋ですけど、やっぱり丹波先輩みたいに、面と向かって口で言うのが一番だと思いませんか？」

「そうだね」

同意はしたが、太宰治が舜斗のように熱苦しく振る舞うとは到底思えない。無理やり想像すると可笑しささえ湧いてくる。

（だからこその『走れメロス』かもしれないけれど）

杏介は目尻を下げて、舜斗と龍一の様子を眺めた。

いつ抱擁を交えてもおかしくないやり取りの反動だろう、照れ臭げに互いから目を逸らしている。

「このあとお二人を揚輝荘《ようきそう》にお誘いして、アジフライを食べるというのが私の計画の全容なんです」

綴語録で言うところの〝デート〟だ。気に入った相手を覚王山にある屋敷に誘い、お茶をする。今までも散々行ってきた儀式のようなものである。頼んだアジの数からして、今回は己だけでなく愛海も同伴ということなのだろう。

ならば暗くなる前に揚輝荘に向かわねば。舜斗たちに声をかけようと杏介が口を開く。

ほぼ同時に、理由は分からないが、なぜだか龍一が肩を揺すって笑い出した。

「なあ、舜斗。お前のそれさ、十九歳の制服なんだよな？」

照れ臭さを完全に払拭したいのか、場をあえて茶化そうとする発言だ。

当然、舜斗には逆効果である。青筋を立て凄み出した。

「悪い悪い、別に変に見えるとかじゃねぇんだよ。一年で顔が変わるわけじゃないし。ただこう、なんつーかさ。シュールっていうか、笑えるっていうか」

「誰のせいだ！　誰の！　それと誕生日は来月、まだ十八だ！」

細かい訂正を加えながら舜斗は龍一に襲いかかる。

「お前、さっきは自分に原因があるつっただろ！」

「うるせぇ！　お前も一言いえばいいんだよ！」

結局、取っ組み合いの喧嘩だ。

頬に一発ずつお見舞いし合えば、綴が感心した声を出す。

「ははぁ、極めてメロス的ですね」

「そういう問題じゃないよ！」

怯えた愛海がまた背に張り付いてしまい、動くに動けない。

杏介は泣きそうな声で反論した。

9

結局、綴が楽しみにしていた仲直り計画は延期となった。舜斗と龍一の取っ組み合いが夕方まで続き、揚輝荘の閉館時間を越えてしまったからである。

魚は鮮度が命。内臓を抜かないと臭みがどんどん増していく。クーラーボックスに入れられたアジはそのまま舜斗が持ち帰り、下処理をすることになった。

「それが今、家庭科実習室の冷蔵庫に入っていると」

「はい」

先輩教師の質問に、杏介はげっそりした顔でうなずいた。

　家庭科準備室には計三つ、机が置かれている。家庭科担当である大江と杏介の机が一つずつと、ダイニングテーブルセットだ。読書感想部の部活でも使っているものである。その前は手芸部のメンバーが利用していた。五人の人間が食事をするには十分な広さを有している。

「わざわざ揚輝荘に持っていかなくても、ここで調理して食べたらどう？　今日、調理部の活動はないんだし」

「それが大崎くん、まだ鶴羽学園に顔を出すのは気まずいらしくて」

　加えて、揚輝荘にも許可を取ってしまっている。用意周到な綴が事前に交渉し、〝べんがら〟が閉店してからならと話を取り付けていたのだ。

　揚輝荘の職員は皆、綴のことを孫のようにかわいがっている。綴が知らないことはなんでも教えてくれるし、何かにつけてお茶やお菓子を貰うそうだ。綴から「柳武《やなたけ》さんにいいよって言っていただけました」と報告を受けたとき、杏介の頭には揚輝荘の生き字引がとろけるような笑みを浮かべている様子がありありと浮かんだ。

　大江の眉が感心したように上がる。

「へえ。市の有形文化財なのに調理設備が揃っているのね、揚輝荘って」

「平成初めまでは個人のお宅ですから。一般開放する前まで使っていたものが残っているんです。掃除機とか、炊飯器とか。スガリさん、ご飯炊くつもりらしくて。お米持ってくるって言ってました」

「ふふふ、楽しい会になりそうじゃない」

「でも、本当に大変だったんですよ」

杏介が訴えるも大江はけろりとした顔だ。

「河川敷で殴り合いの喧嘩して、最後は夕日を背景に仲直りでしょう？　いいじゃない。青春ドラマみたい」

富士額《ふじびたい》が特徴の家庭科担当は、鶴羽学園の中でもかなりの古株《ふるかぶ》だ。頼れる先輩であることは日々のやりとりで十分実感していることなのだが、ここまでどっしり構えられると困ってしまう。ついつい内心、止める立場でなかったから言える感想ですよ、それ、と反論してしまうのだ。

杏介の口から漏れるため息には、いつも以上に疲れが混じっている。龍一と舜斗を引き剥がそうとして逆に二人に押し返され、しこたま腰を打ったのも一因だった。

「僕、読書感想部の顧問の仕事がずっとこの調子だったら、体が追いつかなくなる気がします」

「あら、どうかしら？」

大江がくるりと椅子を回す。振り向き際、細い髪を束ねたポニーテールが揺れた。

「子育てと一緒で、相手に振り回されているうちにいつの間にか体力がつくかもしれないもの。喜ばしいことじゃない。直山くん、全然運動しないんだから」

痛い指摘だ。龍一との追いかけっこで痛感したことでもある。

大江はニコニコと続ける。

「それに読書感想部的には結果オーライでしょう。三人目の部員、それも初めての男子をゲットしたんだし」

「それはまあ……そうなんですけど」

杏介の机の上には原稿用紙がある。記されている文字は、見慣れた美しいそれとは対極の位置にある。雨上がりのミミズのように乱れた、しかし力強い筆跡だ。

大江は結論部分をざっと読み、小さく吹き出した。

「〝本気で殴りあえる奴こそ、本気のダチ〟、ね」

「実体験が伴っていますよね」

「いいじゃない、いいじゃない。自分の言葉で書いている証拠よ、それ」

大江の言うとおりだ。キッチンペーパーでしっかりと水気を取り除かれた五枚のアジの開きとともにやってきた感想文は、綴のたてた部活にふさわしい出来栄えとなっている。

杏介は机の引き出しを開ける。最近買った判子を取り出した。愛海が「先生と似ています」と教えてくれたマスコットキャラクターが彫られていて、脇の吹き出しは「すばらしい！」とべた褒めである。

「あとで教頭先生もチェックするって仰っていたけれど……」

ここは読書感想部の活動場所だ。

モットーは、たった一つ。本の読み方は自由であること。

「えい」

掛け声で思い切りをつける。

杏介は力強く原稿用紙の余白に判子を押した。

第六話

バーネット『秘密の花園』

1

指の腹でページをたどる。紙の擦れる乾いた音が耳を撫でていく。何度目になるかは分からない、秘めやかな笑い声がそれに被さった。

杏介《きょうすけ》は手を止めて文庫本の文字を追うのをやめた。声の出処《でどころ》を探せば、本棚の前で少女たちが楽しげに手に持つものを見せ合っている。

「これなんかどうかな？」

「『二十四の瞳』、壺井《つぼい》栄《さかえ》ですね」

神社の祭りを楽しむようだ。時間が経つのも忘れ、棚の間をそぞろ歩きし、時折足を止めては目に留まった背表紙に手を伸ばす。

図書館ではよくある光景だろう。同時に、自分の目で見るのは最近になってからのことだと気づく。

（不思議な巡り合わせだよね）

杏介は一人ほくそ笑んだ。

目ざとい部員が一人それを見つけ、小首を傾げる。

「どうかされましたか？」

「ううん。なんでもない」

「私たちだけで選ぶのもなんだか不平等ですし、直山《なおやま》先生もぜひ顧問としてご参加を」

「いやいや、僕には荷が重いよ」

杏介は降参とばかりに手の平を振った。けれども、投げかけられた名称については否定しない。事実だからだ。

名古屋市覚王山《かくおうざん》にある鶴羽《つるばね》学園では、顧問さえ確保できれば部員一人であっても部を設立できる、私立校らしいハードルの低さを売りとしている。結果、学園には今まで誰も耳にしたことのないような名称の部が乱立しているのだ。その数は一つや二つではすまない。

ひょんなことから杏介が顧問の座に収まった部も、鶴羽でなければ生まれなかった類《たぐい》の一つである。中でもとびきりユニーク、と断言してもいい。

同じ本を読み、感想文を書く。

名前を、読書感想部という。

本好きが作った部活らしく、題材として扱う作品を選びに図書館にやってくると、部員のほとんどは水を得た魚のようになる。

特に元気が良いのは部長である須賀田《すがた》綴《つづり》と、一年生部員の小野《おの》愛海《あいみ》だ。読書に縁のない生活を送ってきた杏介とは違い、二人とも毎日通学鞄に文庫を忍ばせる生粋《きっすい》の読書人である。

互いに打てば響くようなやりとりで、館内にふさわしい声量で盛り上がっている。

「おかげでこっちはショッピングモールで暇を持て余す親父みたいになっているけどな」

「あははは」

杏介は隣にいる新入部員、丹波《たんば》舜斗《しゅんと》が吐き出した赤裸々な感想に笑って応えた。

新入部員、と言ってもフレッシュさとは縁遠い男だ。学ランはあちこち擦り切れているし、中からのぞくシャツも糊が落ちてくたくたになっている。

その上、舜斗のいでたちは図書館の空気に溶け込む気配を一切見せない。学園でも折り紙つきの不良らしく、頭からつま先までをさっと見るだけで、少なくとも五つは校則違反を発見できる。

特に目立つのは髪の色だ。綴と愛海の行儀の良い膝下ジャンパースカートに慣れている分、舜斗の髪を見るたびに杏介は未だにどきりとする。

「丹波くん、あんまりイライラしないよね」

「慣れてんだよ。妹がいるからな、それも二人」

「へぇ」

「あと末に小三の弟が一人な。先生と似てるぜ」

「えーっと、それはどんなところが……いや、やめよう。言わないで」

それでも舜斗と真っ当に会話できるのは、この留年生の性格が見た目とは裏腹に恐ろしく義理堅いためだ。

うんざりとした態度が示すとおり、舜斗は本好きが高じて読書感想部の門戸を叩いたわけではない。

教頭の野間垣《のまがき》がとんでもない卒業課題を言い渡した結果、ここにいる。もちろん、すんなりと入部に到れたはずもなく、綴の推理と愛海の告白、そして杏介の心労の果てに読書感想文と向き合うようになった。

その過程に舜斗なりに思うところがあるのだろう。今のところ舜斗は部活皆勤賞《かいきんしょう》である。実家の手伝いがあってもだ。早速サボっているのではないかと疑って、杏介に様子を尋ねた野間垣が飛び上がって驚いていた。

それだけではない。家が魚屋を営んでいるためか、最年長の自負からか、部活中に舜斗が口にする話題は、顧問である杏介側に寄り添うことが多い。

「やっぱり先週の予算審議会、小野じゃなくて俺を行かせておいたほうがよかったんじゃねぇか？　このままだとマジで予算ゼロだぜ？」

「丹波くんが行くと会議が大荒れになりそうだから……じゃなくて、会計役の登録締め切りが過ぎちゃってたからね。頑張ってやりくりしようよ」

多彩さと引き換えに、鶴羽学園の部活動はどこもシビアな予算繰りを求められる。学園から一括で渡された部活予算を、各部で分けあって使うからだ。

雨後の筍《たけのこ》のように部活がたてば、当然割り算の分母が大きくなる。結果、各々の部の実入りが減る。

一円でも多くの活動費を手に入れるためには、五月に生徒会が開催する予算審議会に出席しなくてはならない。そこで他の部の申請内容と比べられ、公平な審議の末に予算が正式に割り当てられるのだ。

一年の懐《ふところ》事情が決まる大事な会議だ。各部の会計役は毎年、それこそ戦争にでも行くような気迫で現れる。インターハイ出場経験のあるサッカー部から、昨年創部した新進気鋭の「ご飯のお供研究会」まで、手加減なしのアピール大会が繰り広げられるのだ。

「なのにあの審議書、手芸部の使い回しだろ。手芸部が廃部になるまで予算貰えたことあったのかよ？」

「ない、です」

正直に白状すると、舜斗はさもありなんとばかりにため息をついた。

「本当に噂どおりだな。直《なお》センの財布であれこれ買えばいいってもんじゃないんだぜ？」

噂という不吉な単語に心臓が跳ね、同時にランチ仲間の森田《もりた》に合わせた愛称をさらりと呼んでもらえたことにこそばゆさを覚える。

それらを上回るのが舜斗の鋭い眼差しだ。射すくめられた杏介は「まあ、否定はしきれないんだけど」としどろもどろに言葉を繋いだ。

「ほら僕、小食でエンゲル係数が低いから、普通の人より余裕があるというか……それに、みんなには余計なことを気にせずに部活に参加してほしいし……」

舜斗の顔が一気に曇る。杏介は慌てて取り繕った。

「大丈夫、大丈夫。読書感想部は手芸部と違って原稿用紙だけあればいいし。少しなら職員室から分けてもらえるし、本はこうやって図書館で用意できるからさ」

「あくまで高井田《たかいだ》の目を盗みながら、な」

そこを突かれるとぐうの音も出ない。杏介は顔をしかめた。

高井田とは、この中央図書館のヌシにして司書の名だ。読書感想部の活動内容を思えば、友好な関係を築いていてしかるべき人物なのだが、実際のところは真逆である。

特に綴との折り合いは最悪だ。長年、高井田に過度な指導を受けていた愛海のほうが高井田を肯定的に捉えている。

「小野さんが言うには、高井田先生って時々信じられないくらい無防備なことがあるんだって。そのギャップに人間味を感じるらしいんだけど」

「どっちにしろ面倒臭いわ。近寄らないに越したことはないな」

「まあ、ね」

舜斗の結論はもっともだ。いつもの己ならば間違いなくそうしている。ただでさえストレスに弱い胃袋を抱えている身なのだ。辛辣《しんらつ》な物言いを常とする高井田と接触したら、食事の量がますます減ってしまう。

しかし、今日の杏介の腹の内は違った。事情があるのだ。

「ちょっとごめんね」

「直セン？」

舜斗の声が背後に遠ざかる。杏介は入口側の新聞コーナーへと半ば小走りに移動した。

舜斗ほどではないが目立つ色をした髪の毛がチラと見えたのだ。

「高井田先生！」

相変わらず「司書」と自ら名乗ってもらわなければ分からない風貌をしている。リニューアルしたばかりの館内の内装とも相まって、丸の内や栄で会社勤めをしているようにも見えた。きつい顔立ちを際立たせるアイシャドウは心なしかいつもより濃い。反面、瞳そのものには疲れが滲《にじ》んでいる。

「どうも。直山先生。毎週ご苦労様」

つんけんとした反応にもくじけない。杏介は深く頭を下げた。

「お世話になっています。あの、この前のお話なんですが……」

言った矢先に後悔した。

高井田は「この前」とか「さっき」といった曖昧《あいまい》な物言いを唾棄《だき》している。すぐさま冷ややかな声で注意されること間違いなしだ。杏介の言う「この前」とは、八《や》事日赤《ごとにっせき》駅で酔っぱらった高井田と遭遇したときのことである。高井田はしつこく杏介に綴についてどこまで知っているのかを問いかけた。その意味深な物言いがずっと気になっていたのである。

大急ぎで「この前のというのはですね」と補足しようとするが、高井田の口がそれを阻んだ。被せるように吐き出された返事は、杏介の予想とはまったく異なるものだった。

「忘れて」

「え？」

「聞こえなかった？　忘れてって言ったの」

高井田の態度は頑なだ。他に話がないのであれば仕事に戻ると言わんばかりに踵《きびす》を返す。

腕を摑むわけにもいかない。杏介は声を張る。

「どうしてですか？」

とたんに館内の視線がぶわと体にまとわりつく。羞恥《しゅうち》がこみ上げ耳や鼻に熱が籠る。

しかしこれは好機だ。事実、高井田は足を止めて再びこちらのほうを向いている。バツの悪そうな顔もおまけについていた。

杏介は続けた。

「高井田先生から仰ったことじゃないですか。なのに忘れろだなんて」

「混乱させていることについては謝るわ。ごめんなさい」

「いただきたいのは謝罪ではなく説明です。先生のお話のせいで夜も眠れないんですから！」

頭の中の森田が「なんだかいかがわしい会話をしているみたいだな」と茶化す。こうなればやけくそだ。杏介はさらに半歩身を乗り出した。さらに体をきっかり九十度に折り曲げる。

「お願いします。きちんとお話ししてください！」

気持ち悪いほどの静寂が図書館を満たす。

しばらくして頭上からため息が降ってきた。

「頭を上げてちょうだい。悪目立ちだわ」

杏介が言われたとおりにすると、高井田はちらと目配せして文庫コーナーを示す。女子生徒が一人まだこちらを見ている。柔らかい前髪の下にある特徴的な双眸《そうぼう》が何かを読み取ろうとしていた。

「す、すみません」

杏介はたちまち萎縮し、しまりのない調子で謝罪した。

パワーバランスはあっという間に戻る。高井田はマスカラで縁取られたまつげを一度瞬かせた。

「直山先生、明日の採点は誰の手伝い？」

一瞬、何を問われているのか分からずにフリーズする。我に返ったあと杏介は詰まり気味に「堤《つつみ》先生の倫理です」と答えた。

鶴羽学園はいま中間試験の時期だ。正確には試験自体は今日で終了していて、明日は試験休みの予定となっている。授業はないが教員は総出でテストの丸付けだ。

杏介の担当する家庭科は中間試験の試験科目に含まれていないので、堤の採点を手伝うことになっていた。

「では人数もそんなにいないわね。私もマークシート試験の担当なので長くはかからない」

「つまり？」

「明日、二人でお昼に行きましょう。〝歩〟以外の場所がいいわ」

学園の外に出るということだ。禁止ではないが推奨もされていない。少なくとも野間垣に見つかると小言が飛ぶ。

杏介は一瞬躊躇《ためら》いを見せる。振り切るようにかぶりを振ったあと、「分かりました」と返事をした。

2

翌日、杏介と高井田は覚王山駅からも鶴羽学園からも離れた場所にある店に来ていた。一軒家風のフレンチレストランだ。

杏介の選んだ店ではない。校門で待ち合わせた際、「行くアテはありますか？」と高井田に聞かれ、むしろ答えに窮した。昼はいつも学食ですませている。ここへは高井田の案内で連れてきてもらったのだ。

常連なのだろう。高井田は入りざま、店員に「いつもありがとうございます」と声をかけられていた。

昼食のピークはとうに過ぎている。店内に残っている客はまばらだ。テーブルに並ぶ食器もどれも空になっていて、よくて食後のデザートといったところだった。

「ちょっと値段しますけど、ランチコースにしましょう。単品で頼むより量が少ないから」

間髪を容れず「奢《おご》るわ」と付け足された。もう少しフレンドリーに言ってくれれば反応もしやすいのだが、高井田の勢いに気圧される。辞退することも叶わず、杏介はまごつきながら礼を述べた。

水とメニューを持ってきたのは、大学生ともとれる若い店員だ。高井田とも顔見知りなのか、目線が合った瞬間に声を弾ませる。

「うわ、高井田先生。デートですか？」

「違います」

はたき落とすような語調だ。しかも、訂正の説明を入れることなく、高井田はメニューに視線をやってしまう。

店員は乾いた笑い声を上げ、杏介に目配せして助けを求める。杏介は少し考えたあとで「同じ職場で働いています」と当たり障りのない答えを口にした。

「じゃあ、森田先生みたいな感じの付き合いですね」

「たぶんそんなところです」

「だったらこいつをボトルでいくのがオススメですよ。ニュージーランド産なんですけど、赤はここ数年で一番の当たりです」

「へ？」

店員が指さしているのは高井田の持つメニューだ。見れば、酒の銘柄ばかりが書かれている。加えると、高井田の表情に後ろめたさは一切ない。

聞かずともおおよその想像はつく。森田と高井田は飲み仲間だ。市内を飲み歩いているとも聞いている。こうやってテストの採点を早々に切り上げては、二人で昼酒を楽しんでいるのだろう。

杏介も高井田もお互い今日の業務は終わっている。このまま半休を取って鶴羽学園に戻ることなく帰宅しても問題ない……問題はないのだが、なんだか思ってもいなかった展開だ。

杏介は不満と不安を眼差しに込めて訴える。捨てられにいく犬のような顔になっていたのだろう。高井田は誘惑を断ち切るように瞼《まぶた》を閉じ、「あとで考えます」と店員にメニューを返した。

早速、野菜とサーモンのマリネがやってきた。

「小食なんでほっとします」

高井田の言うとおり、皿の大きさに似合わぬ量だ。

「森田先生はいつも文句をつけるけどね。コースの他にフィレ肉頼もうとか言い出すから困るのよ」

「森田先生、お肉大好きですから」

なんて、当たり障りのない会話を積み上げる。その間も、高井田の目はちらちらとワインメニューを捉えている。杏介が「一杯くらいなら」と切り出そうとすると、遮るように高井田が尋ねた。

「心配？」

小首を傾げると合わせて艶やかな髪が揺れた。

「まあ、そうですね。我慢できないのであれば嗜《たしな》む程度でお願いします」

すると、高井田は彩った目元を一度瞬かせた。

「ああ、ごめんなさい。端折《はしょ》り過ぎたわ。これじゃ文脈もへったくれもないわね。私が心配したのは飲酒のことではなくて、この食事そのもののこと」

「はあ……」

歯切れ悪く返事せざるを得ない。

八事日赤駅で遭遇したときのように、また話がズレ始めようとしていることだけは分かるのだが、肝心の高井田の心配事がピンとこないのだ。

「食事の心配……ですか」

高井田のツンとした鼻から息が漏れる。

「鈍いわね。一応、いるんでしょ？　彼女」

「あっ！」

なぜ、と言いかけて口を噤《つぐ》む。高井田に確認するまでもない。

杏介が面と向かって恋人の有無を告げたのは、ランチ仲間の二人だけだ。だが鶴羽学園の養護教諭の口に蓋はできない。もしかせずともあちこちで吹聴《ふいちょう》しているのだろう。

さっと顔から血の気が引く。それを見ていた高井田が「安心してちょうだい」と告げつつ、ラディッシュをフォークで刺した。

「森田先生も生徒にペラペラ喋ることはしていないから。そんなことしたら授業中、格好の餌食になるもの」

嫌な現実味を伴った発言だ。

先生、デートはいつもどこに行っているのぉ？　彼女のことはなんて呼んでるのぉ？　告白はどっちからぁ？　と生徒の舌足らずな質問に晒され、授業を阻まれる。カリキュラムがますます遅れてしまう。下手をすれば放課後の作業まで阻まれる。

（やっぱり当面秘密にしておこう）

杏介は決意を新たにした。

「それで、最初の懸念に戻らせてもらうけれど。直山先生としてはこういうシチュエーションは浮気に含まれないの？」

「うーん……」

手の平をもう片方の指で打って考えをまとめる。杏介は「顰蹙《ひんしゅく》を買う答えかもしれないんですが——」と前置きした。

「たぶん彼女は気にしないと思います」

そうでなければ連絡もろくにせずに、世界を股にかけて旅するはずがない。常々元気を分けてほしいと思うほど、バイタリティに溢れた人物なのだ。

「今どこにいるかも知らないんだ？」

「ええ。なので家に立ち寄ったときに置いていったお土産でどこに行っていたのか判断するんです。最近は青いサンタが入ったスノードームがありました」

高井田は少し考えるように額に指を当てた。

「……ロシア？」

「恐らくは。ゴミ箱にモスクワにある国際空港のレシートも入っていましたし」

「なんだか昔の船乗りみたいな人ね。直山先生こそ、浮気されるほうを心配しないといけないわね」

メインのエビのパイ包みをザクザクと割りながら、「世界中に恋人がいたりして」と付け足される。

杏介は失笑気味に答える。

「いるかもしれませんね」

すると高井田の目つきが変わった。森田や堤ほどではないが、下世話な色が瞳に宿ったのだ。

「心配にならないの？」

「どちらかといえば、旅先で病気や怪我をしていないかのほうが心配です」

「束縛しないんだ？」

「できませんよ。お互いに自分のペースがありますし」

「でも同棲してるんでしょ？」

「住んでいるのはほとんど僕だけなんですよ？　家賃折半してもらっているのが申し訳ないくらいで」

「かわいい？」

「えっと、まあ、そうですね。元気、が先立ちますけど」

「ご馳走様」

「……今のは誘導尋問だと思います」

なんだかぐいぐいくる。というか、いつまで経っても本題に入らない。切り出す気配すらないのだ。

杏介はグラスの水を半分ほど空けて、クリームとエビを胃に流し込んだ。

「高井田先生」

「何？」

「そろそろ須賀田さんのお話をしたいんですが」

おずおずと切り出すと、高井田は紙ナプキンで口を拭く。何度目になるか分からないワインメニューへの目配せを経て淡々と言い放った。

「特に話すことはないわ」

「ええーっ⁉」

寝耳に水どころか熱した油だ。

なんのためにここまで来たのか。こっちは苦手な先輩教員と二人きりの食事とあって、昨日から緊張しっぱなしだったというのに。なんだかいろいろ返してくれと訴えたくなる。

今となって気づいたが、最初の奢る宣言もこのための布石だったのだろう。杏介は臍《ほぞ》を固め直す。

（流されるわけにはいかない）

八事日赤駅で会ったときの高井田の剣幕の裏には必ず何かある。そうでなければ、こんな所で杏介と二人きりになる必要がないからだ。

逃げることなく、高井田の瞳を捉えた。

「さすがに……真摯さが足りないと思います」

杏介としてはかなりきつい表現を使ったつもりだが高井田は表情を崩さない。それどころか、杏介の……杏介なりにひりひりとした空気を発していることに気づいていながら、食後のコーヒーを受け取っている。

「申し訳ないけれど、これは最大限の真摯な対応よ」

「僕にはそうは思えません」

被せ気味に反論する。テーブルに置かれたカヌレには申し訳ないが、手をつける気はまだ起きそうになかった。

「なんでこんな騙すようなことするんですか？　このまま引き下がるなんてできません」

「こんなに美味しいのに」

「誤魔化さないでください！　酷いですよ！」

「酷い目に遭っているのはこっちだわ。とっておきのお店でご飯なのに。森田先生どころか生徒にも愚痴っちゃいたいくらい。直山先生と二人きりになりたくて誘ったら、いざってときに『彼女がいる』ってバラされたって」

すっと体温が下がる。蘇るのは先ほど交わした会話だ。

杏介は強張った顔のまま尋ねる。

「生徒に吹聴されたくなければ黙っていろ……と、脅すつもりですか？」

「そう解釈されてもけっこうよ」

高井田は品の良いカップを少し傾ける。

ちらとこちらを盗み見たあと口火を切った。

「直山先生が怒っているのは、先日の私の話が具体性を欠いているからなのよね？」

杏介は小さくうなずいた。

脳裏には八事日赤の急な坂がある。

あの日、高井田は掠《かす》れた声で杏介に告げた。守りたいのであれば気をつけろと。

〝何から〟綴を守りたいのであれば、〝何に〟気をつけろというのか。

答えを知っているのは目の前にいる冷徹な司書だけなのだ。だからこそ答えを求めているのに。

「このままがいいの」

「え？」

「具体性を欠いたままがいいのよ。あなたにとっても私にとっても。そして……須賀田さんにとっても」

どうしてそこに綴の名前が出てくるのか。杏介が言葉なく尋ねる。高井田は視線を杏介から外すことなく続けた。

「彼女の抱えている事情は確かに特殊よ。だからと言って、何もかもを知ろうとしていいわけでもない。よく思い出してみてちょうだい」

食後も彩りを失わない高井田の唇がはっきりと動く。

「あなたが知っている須賀田綴に関する情報は、彼女の口から直接発せられたものだったのかしら？」

「それは……」

鼓動が速くなる。体温が下がる。杏介が小さく口を開けたまま固まった。

綴の両親が離婚していると知ったのは、綴のバイト先である揚輝《ようき》荘《そう》の職員が口を滑らせたから。

離婚以上の事情があると気づいたのは、高井田がその片鱗を打ち明けたから。

いずれも綴本人が告げたことではない。

「そう。直山先生が知ったことは彼女の意思に反しているかもしれないのよ。過去を何も知らないまま、今の自分と接してほしいというのは、決して珍しい願いではないと思う。それを無闇にほじくり返すほうが酷《こく》よ。そういう意味では、私は彼女を一番傷つけることをしかけたの。いわばアウティングね」

高井田の口から飛び出した単語に体温が下がる。頭でなく、体がタブーだと叫んでいる。

杏介はこの瞬間に高井田への追及を諦めた。

「高井田先生」

「あなたが怒るのは仕方のないことだわ。悪いのはすべて私。三十超えてお酒の失敗だなんてね」

自虐気味に話をまとめると高井田は立ち上がった。

「煙草行ってくるわ。それからお会計も」

杏介を丸め込むための布石ではない。この食事は高井田なりの詫びだ。杏介はカヌレとともに取り残される。脇の紅茶はもう温《ぬる》くなっていた。

見渡せば、店にいる客は己だけになっている。高井田が外の喫煙コーナーから戻り次第店を出なければ、ディナーに向けた準備を始められない。

開けたガラスの向こう側を見る。夏を予感させる明るい日差しとは裏腹に、高井田は細い煙草を咥《くわ》え、陰鬱《いんうつ》な表情を隠さずに紫煙《しえん》を吐き出していた。

3

今日の天気を称するならば、「ガラス越しに見ている限りは気持ちの良い日」というのがちょうどいいのだろう。朝はぽつぽつと浮いていた雲がどこかへ行ってしまっている。一度外に出れば、日差しに容赦なく焼かれて熱い風が頬に当たる。

杏介は歯の隙間から悲痛な声を上げた。

「しっかりしてください、高井田先生」

呼びかけるとおり、杏介の背には高井田がいる。返事はない。杏介が支えやすいようバランスを取ることさえ放棄し、昼間から赤ら顔を晒して眠りこけているのだ。つま先に引っかかっただけになっている細いパンプスが、今にも落ちてしまいそうだった。

何度後悔しても足りない。原因はたった一杯のワインなのだから。

煙草から戻ってきた高井田は、名残惜しそうに店員の勧めた銘柄を目で追った。杏介にはそれが今生の別れのように見えてしまい、つい一杯だけならと高井田に飲酒を勧めたのだ。

森田の話す高井田はかなりの酒豪に聞こえていたのだが、様子はみるみるうちに変わった。中間試験対応の疲れか、それとも別のストレスか、キレ者の司書の肝臓は限界に追い込まれていたらしい。

癖がなく悪酔いしないという触れ込みだったはずのワインは、高井田をあっという間に酩酊《めいてい》させ、しまいには意識まで奪っていったのである。

「お店の人も、高井田先生はムラがすごいって言っていたけど」

酒の失敗を恥じていた矢先にこれではなんのフォローもできない。杏介は愛海の言っていた「高井田の人間味」という表現を噛み締めた。

店に居座るのも申し訳なく、杏介は仕方なしに高井田を負ぶって出てきている。ただし、こういう日に限って市内でイベントでもあるのか、タクシーはどこに連絡しても配車を渋られた。完全に立ち往生だ。行く宛てなどまったく思い浮かばない。強いて挙げるなら鶴羽学園に戻って森田の助けを借りることくらいだが、保健室にたどり着く前に教員……下手をすれば生徒と遭遇してしまう。二人で食事をしていたことを学校中に吹聴するという、高井田の脅しが実現するようなものである。

杏介はぶんぶんと首を振った。

「それだけはなんとしても避けなくちゃ」

店を出てわずか三分、体はすでに限界を迎えつつある。自分の非力さもさることながら、失礼を承知で告白すれば、高井田は滅茶苦茶に重いのだ。

とにかく高井田の体を預ける先を探さなくては。杏介は再び高井田の体を持ち直した。流しのタクシーが捕まえられそうな姫池《ひめいけ》通りを目指すのだ。途中、手頃なベンチがあれば座って休み休み進むしかない。

「その間、誰とも遭遇しないことを祈らないとね」

杏介は青息吐息《あおいきといき》で心中を言葉にする。

残念ながらその決意は出鼻から挫《くじ》かれた。

「それはなんだか申し訳ないことをしました」

背後から声がかかったのだ。

「うわ！」

杏介は盛大に肩を震わせる。聞き覚えのある声だ。覚えどころか、慣れた部類と言っていい。

ぎこちなく振り向く。

「す、須賀田さん……」

「スガリです、直山先生。驚きのあまり呼び方が戻っちゃいましたね」

なぜこんなところにと聞くまでもない。綴のいでたちが答えを告げていた。

綴が着ているのは今年百歳になる曾祖母、雲間《くもま》ムツから譲られた古風なワンピースだ。上にエプロンを着ければ、戦前からタイムスリップしてきた女中のようになる。つまりバイト中ということだ。

今日は試験休み。教員が中間テストの採点を一日がかりで行う日だ。綴は平生《へいぜい》であれば放課後と休日のみ入っているシフトを午前から入れたのだろう。持っている袋から推し測るに、買い出しの帰りである。

「もうダメだ」

脳裏に「チョロ山、高井田先生とご飯行ってたんだって」、「真昼間からおんぶデートしてたらしいよ」という囁き声が響く。誤解だと一生懸命訴えても覆ることはない。

杏介はへなへなとその場に倒れこんだ。高井田のヒールもとうとう地面に落ちる。

対照的に綴はにっこりと笑った。

「そう絶望なさらずに。ある意味私でよかったではないですか。自分で言うのもおこがましいですが、口の堅さには自信がありますよ」

整った顔も手伝って花が咲いたようだ。ただ、杏介は綴の悪戯っ子な眼差しのほうが気になって仕方がない。

「スガリさん、僕は真剣に困っているんだ」

「ええ、存じていますとも。ご安心ください。私に妙案があります」

軽やかに告げると、綴は杏介の代わりに高井田のパンプスをひょいと拾った。

——こんなところでは眠れない。
松坂屋の創始者・伊藤祐民《いとうすけたみ》が造らせた名古屋一の別荘群、揚輝荘に宿泊した朝香宮鳩彦王《あさかのみややすひこおう》の言葉である。

通されたのが、宮家の人間が使うにはあまりに粗末な寝床だったからかというと、違う。まったくもって逆だ。廻り縁一つ、床の組み方一つとっても芸術品の域に達する部屋と寝具に、皇室の人間ですら尻込みをした。そして出てきたのが先の言葉である。朝香宮を全力でもてなそうとする祐民の意気込みが、斜め上に行ってしまった結果とも言えよう。

結局、朝香宮は揚輝荘のゲストハウス、聴松閣《ちょうしょうかく》の主寝室の隣にあるクローク代わりの和室に布団を敷いて泊まったらしい。

ちょうど今の高井田のように。

「高井田先生、起きたらびっくりするでしょうね」

「見学に来た人のほうがもっとびっくりすると思うよ」

綴が会心の笑みを浮かべる横で、杏介は不安をそのまま吐露《とろ》した。

「大丈夫です。今日の開館スケジュールは不規則になっていて、これからの時間、二階には限られた人しか入ってきませんから。ほら」

綴が振り向いてかつての主寝室を指す。市指定有形文化財として一般開放されるようになってから、贅を尽くした部屋は企画展示のためのエリアとして利用されていた。今は写真展が催されている。

　案内を読むと、なんと「鶴羽」の文字がある。杏介は意外な声を上げた。

「うちの写真部の展示？」

「そうです。土曜日から二週間の展示なんです。今日はそのオープニングということで、関係者しか上がってこないんですよ。高井田先生もそのお一人になっていただきましょう。体調不良でお休み中というのは嘘じゃないですしね」

　杏介は内心舌を巻く。ずいぶんと大胆な作戦だ。少なくとも己では絶対に思いつかない。

　高井田の真っ赤だった顔はだんだんと元の色に戻りつつある。これならすぐ歩けるようになるだろう。ペットボトルの水を枕元に残し、杏介と綴は和室をあとにした。

　階段を降り聴松閣の事務所脇を通る。酔っ払い連れを快く迎えてくれた職員たちにペコペコと挨拶し、杏介は綴とともに〝べんがら〟へと向かった。

　聴松閣の壁の色を名前の由来とする喫茶が綴のアルバイト先だ。風合いある磨りガラス越しに初夏の庭に臨む、ゆったりとした旧食堂である。

　綴は買い出し袋を持って奥にある厨房へと消えた。杏介は勝手に席に着く。初めて来たときは慣れなくてそわそわしたものだが、今では安堵に息をつくほどだ。すっかり常連である。

　入場に制限がかかっているからか客はいない。おかげで綴の接客も、商売というよりは家に遊びに来た人間をもてなすかのようだった。

「先生、今日はコーヒーと紅茶の他にローズヒップティがありますが」

売り物ではなく貰い物なのだという。せっかくなので二人分淹れてくれるらしく、杏介の返事を待つ綴の胸が期待で膨らんでいるのが手に取るように分かった。

「素敵だね」

「決まりですね」

綴は三つ編みをひらと舞わせてオーダーを厨房へ伝える。杏介も遅ればせながら立ち上がって、厨房に立つ古風なコック姿の男に礼を述べた。

再び席に着くと、綴は向かいの椅子を引いた。座りざまに口火を切る。

「私が買い物に出る前までは学園長先生がいらしていたんですが、どうやら帰られたみたいです。ラッキーでしたね」

「どうして？」

「デートだったんじゃないんですか？　高井田先生と」

「ち、違うよ！」

綴の瞳が妖しく光る。両肘を机に載せて頬杖をつきながら端整な顔を近づけてくる。

本気で言っているわけではないとすぐに分かる顔だ。それでも、杏介はわあわあと弁明した。

「さっきも言ったとおり誤解なんだって。変な噂が広まると困るから、スガリさんに助けてもらったんだ」

「ええ、もちろん存じていますよ。先生は軽々しい気持ちではデートはなさらない。ですよね？」

綴は演技ぶった調子で腕を組み、うんうんとうなずく。なんだか引っかかる物言いだ。当然、心当たりはないのだが。

杏介は「そんな意地悪言わなくても」と口走った。

「スガリさんって、自分で言うよりも前に結城《ゆうき》くんと付き合ってるって噂がたったら嫌でしょう？」

とたんに〝べんがら〟の飴色に磨かれた椅子が悲鳴を上げた。綴が勢いよく席を立ったのだ。この美少女だけに通用するたとえを使うならば、足元を猫が通っていったような塩梅《あんばい》だった。

三つ編みがはらはらと零《こぼ》れる。

「見ていたんですか、あれ」

「えっと……まあ、うん」

正直に返事をすると綴は顔を両手で覆った。失意のどん底にいることがよく分かる仕草だ。髪の様子も手伝って落ち武者めいている。

「最悪です」

まさかここまで動揺されるとは。杏介はすぐさま謝罪を口にした。

「今の感じだと、本当に付き合っているわけではないんだよね？」と確認すれば、「違います。ありえません。可能性もありません」と否定の文句が重なる。

「なにもそこまで言わなくても」

「言いますよ。だって結城くん、変な子じゃないですか。ぶっ飛んでいるというか」

綴に言われたらおしまいだ。日本中探したって、地蜂の幼虫の生食を愛する女子高生は一人だけだろう。

「担任の戸部《とべ》先生も大変だね」

「何を仰いますか、戸部先生が変人ナンバーワンです」

話題に上がった戸部とは、綴の所属する高等部二年二組を受け持つ化学担当だ。いつも気怠げな話し方をする男で、その読めない顔のままカリキュラムにはない実験を始めてしまう。

一番酷かったのは、イオン運動の説明をするために三階の窓から真下のプールに向かってアルカリ金属を放り投げたときのことだ。

結果、プールからは水爆と称しても過言ではない水柱が立ち上がり、パトカーどころか機動隊車がやってくる騒ぎとなった。翌日の新聞でも大いに取り沙汰され、当時の教員は総出で事態の収拾に追われたのだという。

野間垣は酒の席でいつも、「あのとき私が教頭の座にいたら絶対にクビにしていた」と息巻いている。

「こうやって見ると鶴羽って変な人が多いよね。先生も生徒も」

「ええ、でも」

綴は「私は好きですよ」と言い、立ち上がった。厨房からかすかに甘酸っぱい匂いが漂っているのだ。ローズヒップティがはいったのだろう。杏介は穏やかな面持ちでその様子を見守った。

続けざま、真上の部屋で眠る高井田に思いを馳せる。そこでふと気がつく。

今の状況だ。

綴と二人きりである。愛海も舜斗もいない。場所も人気《ひとけ》のない〝べんがら〟の一角だ。込み入った話をするには絶好のシチュエーションではないか。

先ほど真正面から否定された熱意が頭をもたげる。

(そうだよ、スガリさん本人に聞いてみればいいんだ)

高井田の懸念が、本人の口が語ろうとしない情報を吹聴することにあるのならば、解消できるのは誰でもない綴だ。

それとなく話題を振る。心配事があるようであれば力になりたい旨を伝える。いつまでも頼りない顧問に甘んじずに、生徒を助ける人間になるのだ。

「よしっ」

両頬を軽く手で打ち意思を固める。

杏介はポットとカップ、それからおまけにつけてもらったと思しきクッキーを盆に載せて現れた綴を迎えた。

「うわぁ、美味しそうだね」

「そうですね」

綴に悟られることなく何をどう切り出すか。いつもの癖を封印し、人畜無害な笑みの裏で必死に思案する。

杏介は雑談風に切り出した。

「そういえばスガリさん、ゴールデンウィークはご実家に戻ってたの？」

「いえ、叔父さんたちと伊勢に遊びに行きました。あとはドラゴンズの試合観戦です」

「あ、そうなんだ。じゃあ、帰省は夏休みまでお預け？」

「さあ。まだまだ先のことですので、特に予定も立てていないですね」

「だとすると、ご実家には週末にちょくちょく顔を出している感じかな？」

食い気味に質問を重ねれば、綴は一度瞬きをする。

双眸の色が変わる。

「先生」

「うん？」

「心配ですか？　私が家に戻っていないと」

冷ややかな調子だ。先ほど固めた臍を緩ませるには十分である。杏介はしょぼくれた顔を覗かせ、早々に詫びを口にした。

「いや、そういうわけじゃないんだけど。ごめんね、あれこれ詮索しちゃって」

「いえ、興味を持っていただけるというのは嬉しいことです。信濃の国の歌にあるとおり、長野はとても良いところなので。ぜひ先生にも遊びに来てほしいです」

社交辞令と本音、どちらとも取れる返答だ。また、どちらであってもこれ以上深入りさせない頑なさがある。

それを裏付けるように、綴はあれこれと故郷の美味しいものを言い並べていく。話題がすっかり変わってしまい、杏介はため息をカップの中に隠した。

しばらく綴の話にうなずいていると、突然綴の手が上がる。

「先生、私も直山先生に質問があります」

授業中にお目にかかると嬉しくなるような手の上げ方だ。杏介は顔を綻《ほころ》ばせた。

「ふふ、何かな?」

「デートではなかったとして、なぜ高井田先生とお二人でお食事に行かれていたんですか?」

笑顔のまま固まるよりない。

内心、後悔と反省の嵐だ。予想しておいてしかるべき質問だった。食事中、高井田と交わした会話はトップシークレットのオンパレードである。八事日赤でのことはもちろん、恋人の絵《え》馬《ま》のことだって、決して見抜かれてはならない。

無難な話題はなかったか必死で記憶をたどる。

サーモンのマリネのあとにやってきたバゲットの味を思い出したところで、杏介は「えーっとね……」と言葉を繋いだ。

「高井田先生が読書感想部についてちょっと心配されていてね」

すぐさま綴の眉が厳しい形になる。

「余計なお世話です」

「ああ、いやいや、活動そのものというよりは、専門外の僕が顧問をやっていることを心配されていたんだよ」

嘘ではない。事実である。

八事日赤駅での会話にも現れていたが、高井田は自分の仕事と決めた範囲を自分で受け持つことができないことに、責任やもどかしさを感じるタイプだ。

杏介はもともと読書とは縁遠い立ち位置にいる男である。それなのに、たまたま読書感想部の顧問に収まり、そのまま活動を本格化させようとしている。予算を潤沢《じゅんたく》に与えられている図書委員会にだって似たような営みがあるにもかかわらずだ。

「『実は誰も幸せになっていないのでは？』って聞かれちゃってね」

綴の顔から威嚇の色が消える。代わりに、水底を映すようなじんわりとした不安の色が現れた。

「直山先生も……そう思われますか？」

杏介を読書感想部の顧問に仕立てたのは、誰でもない綴である。やり方が謙虚だったかといわれたら否定しづらいし、手芸を愛してやまない己の心情を慮《おもんぱか》ってくれたかといえば、はっきりとした声で肯定することはやはり難しい。

綴は耐えるように杏介の返事を待っている。

杏介は少し頬をかいた。

「確かに僕は家庭科の先生だし、本が好きっていうほどでもないよ。でも読書感想部の顧問でいたいなとも思っているんだ」

綴の形の良い唇が少し開く。「なぜ？」と聞こうとしているのだ。綴らしからぬ遠慮がそれを留めている。手に取るように分かった。

杏介は照れ混じりに打ち明けた。

「僕は、自分の心を保てるものを大切にしてほしいんだ」

「心を保てる？」

「うん。ちょっと分かりにくい表現なんだけどね」

杏介は大きくうなずいた。

「世の中には本当にたくさんの趣味や遊びがあるでしょう？　鶴羽学園は特に部活動の種類が

多いから、実感できると思うんだけど」

昔からずっとあるものも、新しく作られるものもある。それこそ一生かけてもすべては体験できないくらいに。

そういう数多《あまた》ある選択肢の中で、一つでも時間を忘れるほどに熱中するものと出合えたならば、間違いなくそれは――己を救う。

「嫌だな、理不尽だなって思うことがあっても、好きなものは必ず自分を癒してくれる。もちろん、好きな人とかに助けられることだってあるけれど、人は……生きているから。いつもどんなときも一緒にいてくれるとは限らない。でしょう？」

高井田に絵馬のことを尋ねられたとき、杏介は恋人と出会うよりも前の感覚を思い出していた。

物心ついた頃から病弱だった。食事も一人前に食べることができず、無理をすればすぐに熱が出た。母は仕事をできるだけ休んで看病してくれたが、企業の制度には限りがある。彼女が退職を選ぶまで己は一人でいることが多かった。

小学校では体調不良のせいで、放課後に児童クラブへ行くことも叶わなかった。まっすぐ家に帰っては早々にパジャマに着替え、親の帰宅をベッドで待つ。

果てのない心細さを埋めてくれたのは針と糸だ。

綴であれば本と原稿用紙である。

形は違えども内にあるものは変わらない。

目の前の少女が部活を興したいと言ったとき、杏介の胸にあったのは驚きと不安、それから音なく湧き出る泉のような歓喜だった。

夢中になるものを持っていると直感したのだ。

「きっとこれからも力不足なところをいっぱい見せちゃうと思うけど、僕は読書感想部の顧問をやっていますっていう自負はあるから、その……」

だんだんと締まりがなくなってくる。どうまとめようか、無意識に手の平に信号を送り始める。

尻すぼみな決意表明だ。綴は呆れているのではないか？　盗み見るように眼を動かすと、三つ編みの少女は何かを噛み締めるように唇を引き結んでいた。何事にも動じないはずの瞳が若干揺れている。

「スガリさん？　どうかしたの？」

「いえ、なんでもありません」

おもむろに立ち上がったかと思うと厨房へと消えていく。

本当に何事か。杏介が立ち上がろうとするとまた小走り気味に戻ってきた。手に見慣れたものを握っている。

綴の心を摑んでやまないもの。原稿用紙だ。

「ならば早速です、直山先生！」

「ええ、今から？」

「先週、少し調べてからにしたいですってお渡しするのを延期したものですよ。さっき書き上げたんで、読んでください！」

狼狽《うろた》えても聞く耳持たずである。元気一杯、顔の前に紙面を広げられる。

「バーネット、『秘密の花園』」

杏介はピントの合わない字面《じづら》をそろそろと読み上げた。

4

『秘密の花園』はイギリスのヨークシャー地方を舞台とする物語だ。

軍の高官の娘として生まれたメアリは、本国イギリスから遠く離れたインドの地で暮らしていた。両親はメアリに関心を示さず、インド人の使用人はメアリの言うことに逆らわない。結果、メアリは気にくわないことがあるとすぐに臍《へそ》を曲げる、わがままでかわいげのない娘へと育っていた。

しかし、伝染病の蔓延《まんえん》によりメアリを取り囲む状況は一変する。両親を失ったメアリはヨークシャーに住む叔父の家に引き取られることになったのだ。

そこでメアリを待っていたのは、温かい歓迎とは程遠い、やはり以前と変わらない生活だった。使用人は一緒に遊んではくれないし、叔父も不在がちである。

早速つむじを曲げたメアリだったが、使用人のマーサから好奇心を掻き立てられる話を耳にする。

——この屋敷には、十年間誰も足を踏み入れたことのない庭がある。

秘密の花園との出合いにより、メアリの心は冬を越えた植物のように再生する。やがて知り合う少年たち、ディコンとコリンと意気投合し、花園には子どもたちの笑顔が溢れるようになる。

「……というのが大筋なんだけど」

あらすじを知っているのは先週のうちに読んだから。愛海が読書感想文の題材に推薦した作品だ。

ついでに言えば、愛海は花園に入り浸る子どもたちが大のお気に入りらしい。メアリを独り占めしたいコリンと、コリンでなくディコンを慕うメアリが、ディコンについて言い争いをする場面を読んだとき、思わず傍にあったクッションに顔を埋めたという話も受けていた。曰く、かわいらしさに耐えきれなかったそうだ。

「さっきの直山先生のお話にぴったりだと思うんです」

綴は自信満々に言い切ったきり、動く気配を見せない。どうやら杏介が読書感想文を読むところに立ち会うつもりらしい。

確かに何事にも無感動であったメアリが、庭仕事にのめり込む物語は杏介の説いた好きなことを大切にという話とも通ずる。そういった趣旨の感想文がやってきても不思議ではない。

問題は、書き手が須賀田綴だということだ。

（大丈夫かなぁ……）

書いた当人の眼前である。普段の激しいリアクションは封印したほうがよい。

杏介は潜水でもするように一度息を吸い込み、原稿用紙に頭を突っ込んだ。

「〝どうやらクレイブン卿のお屋敷には、メアリがたどり着けていない秘密がまだ眠っているようです〟」

原稿用紙から目を離す。正面に座るメイド姿の綴を見る。狐につままれた顔を向ける。

微笑まれた。とても魅力的な笑みである。その分、手に持つ原稿用紙に書かれた内容とのギャップにクラクラした。

「どういうことなの……？」

クレイブン卿とはメアリを引き取った叔父の名前である。生来、背中が曲がっているため、人付き合いを避けるきらいがあったが、美しい妻を迎えることで心を開くようになっていた。

しかし、肝心の妻が不慮の事故で亡くなってしまい、クレイブン卿は心を落ち込ませるものをみんな隠してしまおうとする。要は秘密にしたのだ。

作中、メアリはクレイブン卿が隠した二つの〝秘密〟を暴く。一つは、バラが咲き誇る美しい花園の在り処。もう一つは妻の忘れ形見である一人息子のコリンだ。どちらも存在や居場所は伏せられており、メアリは使用人たちの言葉や庭のコマドリの力を借りて、これらを発見するのである。

杏介は顔をくしゃくしゃにして唸った。

「スガリさん、これ以上の秘密はないと思うよ」

特にコリンがいた部屋などは、扉がタペストリーで隠されており、使用人たちにも厳しい箝《かん》口令《こうれい》が布《し》かれていた。

クレイブン卿がまだ秘密を持っているとするならば、それ相応の対応をとっていると思うのだが。

考えを述べると綴は黙って何度もうなずく。そのまま手の平を返して杏介に見せた。続きを読んでほしいというジェスチャーである。

「〝ただし、作中に残された秘密を理解するためには、一つ前提を確定させておく必要があります……このお話、いったい、いつのお話なのでしょうか？〟い、いつ？」

素《す》っ頓狂《とんきょう》な声が出た。

綴はますます楽しげに杏介の瞳を覗き込む。

「いつって……」

「いつだと思います？」

久しぶりに問題を出す側ではなく、出される側に回った。懐かしくも不快なプレッシャーが杏介の胸を満たしていく。合わせて頭は真っ白になっていく。

「昔の……イギリス……」

あまりの出来の悪さに机に突っ伏した。

「教員名乗ってごめんなさい！」

綴は「なんかかわいいです。先生」と肩を震わせる。ますます恥ずかしい。

「ほらほら、ヒントは作品の中にごまんとあるんですから」

「うう……」

授業は授業でも補習授業を受けている気分だ。杏介は差し出された文庫本を捲《めく》る。

綴は上機嫌にその様を見守っていた。が突如、顔つきを真剣なものに変える。

頭を玄関のほうに向け、何かを聞き取ろうと耳を澄ませている。

「どうしたの？」

「天敵の音がします」

言うやいなや、綴は立ち上がり厨房のほうへと駆けていく。スタコラサッサという音がよく似合う仕草だ。

ようやく杏介にも分かった。これはカメラのシャッター音だ。どうやら本日の予約客がやってきたらしい。

見た目を思えばお客様を出迎えにいってもよいところなのに、綴の姿はもうない。杏介だけが〝べんがら〟に取り残される。

杏介が厨房に続くカウンターから目を離した頃、写真部の生徒と教員数名が〝べんがら〟に姿を現した。

「玄関で聞いたとおりだわ。直山先生、いらしていたんですね」

数学担当の花本《はなもと》だ。夏を先どるように袖の短いブラウスと淡い色のスカートを穿いている。〝べんがら〟の磨りガラスの様子や鴨居《かもい》の装飾を興味深そうに眺めたあと、杏介の向かいの席を指した。

「高井田先生はお茶の途中でご体調を崩されたんですか？」

高井田ではなく本当は綴が座っていた場所である。杏介は「ええ、まあ、そんなところです」と下手くそな嘘をついた。

「急に暑くなったからな。熱中症じゃないのか？」

「心配ですね。森田先生呼んできます？」

花本の後ろには、舜斗と因縁浅からぬ仲の用賀《ようが》がいる。体格の立派な用賀の陰で見えないが、雲雀《ひばり》を思わせる甲高い声からして、生物担当の五十嵐《いがらし》だ。

「あれー？　二年の須賀田さんがバイトしてるって噂で聞いたんだけど……」

花本の脇から姿を現した男子生徒がしきりに首を傾げる。胸には報道記者を彷彿《ほうふつ》とさせる立派なカメラが下がっていて、熱心に食堂の様子を撮りながら綴を探していた。

「直山先生、どこに行ったか知ってる？」

「い、いやぁ。分からないなぁ」

「おかしいな、庭にでも出ているのかな？」

断りもなく窓を開けカメラを構える始末だ。綴が嫌だと言っても有無を言わさずシャッターを切りそうである。これではたまったものではない。

（スガリさん、使用人用の階段で脱出したんだろうね）

聴松閣には客と使用人がすれ違うことのないよう、別の階段が設けられている。厨房の階段は引き戸の中に隠されているので、知らなければ追えない。今頃トンネルのある地下か、天井裏に逃げ込んでいるはずだ。つくづく綴のような悪戯者にはぴったりな建物だと思ってしまった。

すでに上の展示は見てきたのだろう、花本たちは杏介を囲うように席に着いた。

「あら、直山先生。もしかしてそれ……？」

「はい。読書感想部の原稿用紙です」

「こんな所でも読まれるのね。熱心で立派だわ」

花本は学園一の美人教師と呼ばれて二十年、という人物だ。隣に座った五十嵐のほうが若くてぴちぴちとした肌をしているが、こうやって顔を綻ばせると、往年の女優のような華やかさが際立った。

「いえ、正直なところ、作品の理解は生徒のほうがずっと上手《うわて》で……。さっきも知識不足で困っていたところだったんです」

告白したところで杏介は、適任の人物がこの空間にいることに気がついた。

高井田とはまた別の、その道のプロである。

「あの、用賀先生」

声をかけると、用賀の仁王のような眼が動く。

「なんだ？」

「変なことを聞いてしまうんですが、この作品の舞台となった時代がいつくらいなのかって、すぐ分かったりしますか……？」

杏介はそっと用賀に『秘密の花園』を差し出す。社会担当、ちょうど三年生に世界史を教えている男のゴツゴツとした手に収まったそれは、杏介が持っていたときよりもぐっと小さく見えた。

用賀は背表紙のあらすじを読んだあと、パラパラと『秘密の花園』のページを捲る。岩のような雰囲気をそのままに口火を切った。

「イギリスによるインド植民地支配は十九世紀後半から一九四七年、ネルーが独立宣言をするまでおよそ百年続いた。ただ、ここを見てほしい」

用賀が示したのはメアリが初めて屋敷の庭を散歩するシーンだ。節の目立つ指の先には、菜園や果樹園を通り抜ける間、メアリが見たものが書かれている。

杏介がそれを読み上げた。

「ガラス・フレーム」

「そのとおり。今使われているような上質なガラスは産業革命の賜物《たまもの》だ。有名なのはロンドン万博のクリスタル・パレス。一八五一年に建っている。これがガラス温室の嚆矢《こうし》となった」

「へえ〜」

「一般家庭への普及……ここは貴族の家のようだから事情は異なるかもしれないが、もう少し時間が経ってからと考えるのが妥当だろう」

花本と五十嵐も「すごいわ」、「推理みたいです」と目を丸くする。

「作中に登場する物や事柄から時代を当てる……時代考証を逆向きに行うようなものだな。世界史の実践的な活用だ」

「いいですね、それ」

用賀の補足に杏介は目を輝かせた。

学校の勉強って試験以外の何に使うの？　少なからず学生が抱いている疑問だろう。

幸か不幸か杏介の担当する家庭科は、学業から解放されたあとが本番なので、答えに窮して困ったことはないが、用賀の担当する世界史は暗記科目の代表格である。

「知識を持ったほうが楽しくなるものなんて腐るほどある。映画にドラマ、ここにある小説だってそうだ」

「すごく分かります」

用賀の言葉に小柄な生物担当が何度もうなずいた。

五十嵐はおたふく顔の女性教師だ。笑うと目がなくなり真っ白い頬が強調される。

「私も揚輝荘みたいなところを歩くだけで、一人盛り上がっちゃうクチなんで」

「あら五十嵐先生、お散歩中に何をしてるの？」

「草木の品種当てですね。きちんとした名前までは分からなくても、枝の分かれ具合や葉の形から科までは絞れたりしますから。小さい頃からなんですよ。遊び場は決まって家の庭でした」

「素敵ねぇ」

花本と五十嵐を中心に雑談に花が咲く。杏介もひと通り相槌《あいづち》を打っていたが、意識は別のところにあった。

（用賀先生はガラスからだったけれど、スガリさんはどんな風に秘密の花園の時代を推察したんだろう？）

そぞろ神が憑いてしまう。どうしようかと迷っていると用賀に「気にせずに読んだらどうだ？」と背中を押された。

杏介は再び手元の原稿用紙に目を落とす。ページを捲り綴の整った文字を追った。

「〝いくつかヒントはあると思いますが、ここではブロケード織のドレスを着た少女の肖像画を元に考えてみようと思います〟。ブロケード織！」

興奮して大きな声が出る。先輩教師たちの注目を浴びて杏介は長い身を縮こまらせた。

「すみません。昔勉強した織物の名前が出てきたので、つい」

「そうそう、その感覚なんですよ。直山先生」

五十嵐のフォローが入る。続けて「で、ブロケード織ってなんですか？」という質問が飛んだ。

「十八世紀に流行した織物です」

絹をベースに金糸や銀糸を交ぜて複雑な模様を作る。ドレスやカーテンなど華やかさを求められる布に多用された織物だ。

杏介の解説に花本がキョトンとした顔を覗かせる。

「あら？　十八世紀だとすると一七〇〇年代ってことだから、用賀先生の推察と百年ズレちゃうわ」

「あ、いえ。ブロケード織は主人公たちではなく、そのご先祖様が着ていたものらしいので

「……」

作中、コリンは少女の肖像画を見て、〝きっと僕の大大大大おばさんだ〟とメアリに教える。ブロケード織が流行っていた時代から世代を計算すれば、用賀の話していた時代に近づく。

つまり、綴も用賀と同じく、『秘密の花園』は十九世紀末、または二十世紀初頭を舞台にした小説だと考えているということだ。これは作者のバーネットが生きた時代とも一致する。

「さすがスガリさん」

漣《さざなみ》にも似た歓喜が杏介の体を浸す。ただし長くは続かない。

お約束となっている謎めいた書き出しと、綴が推察した前提が繋がってこないのだ。

「メアリが見つけられなかったお屋敷の秘密って？」

改めて原稿用紙を読み進める。

そこにはどっと肩の力が抜ける、そして斜め上な読書感想部部長の主張が綴られていた。

「〝情報の整理も終わったことですし、そろそろ本題に入りましょう。アーチボルド・クレイブン卿を主人とするミッスルスウェイトのお屋敷には、十九世紀末から二十世紀の初頭にかけての時代としては、とんでもなく珍しいものが植わっています。それは小道のサクラソウです〟」

読み上げたとたん、五十嵐が破顔する。

「素晴らしい！　確かに珍しいわ、それ！」

「そ、そうなんですか？」

「ええ。サクラソウの分布って東アジア、特に日本なんです。イギリスでは自生していません。よく気づきましたね」

喜びのあまり、「中間試験、点数を少しおまけしてあげればよかった」と零すほどだ。用賀も「ブロケード織からの推察も見事だ」と呼応する。

褒められたのは部員なのだが、なんだか顧問まで嬉しくなる。杏介が目尻を下げて照れていると、用賀に続きを促された。

「えーとですね、〝なぜ、そんな珍しいものが屋敷にしれっと植えてあるのか。答えは冒頭から提示されています。クレイブン卿の紹介として、妻のためなら草一本を手に入れるため、世界中を歩いても構わないと思っているとあるんです。愛のプラントハンターですね〟」

相変わらず思い切りのよい考察だ。杏介は苦笑するが、隣で用賀は「しかし時代的にも合っている」と重々しくうなずいた。

五十嵐が感心する。

「地球の反対側から取り寄せたんですねぇ。用賀先生、日本とイギリスの国交っていつからなんですか？」

「十七世紀だ。江戸時代から平戸に商館がある。とはいえ、今のように気軽に個人輸入とはいかないだろう」

「そこまで入れ込んでいた奥さんを亡くしたのだから、気持ちも沈むわね」

「面影を残す息子さんと会いたくないって気持ち、分かる気がしますね」

花本と五十嵐の高速ラリーが再開する。杏介は早速置いてけぼりを食らったが、今度は不思議と焦りがない。

もっと大事なことに気づいてしまったのだ。

(これ、スガリさんが話していたことだ)

同じ作品を読み、読書感想文を書き、語り合う。

綴の理想としていたものが、いま杏介の目の前にある。

杏介が思っていた以上に知的で痛快な営みが繰り広げられている。

決して杏介の手前勝手な妄想ではない。

五十嵐の肩越しに、写真部を撒《ま》いて戻ってきた綴の姿があるのだ。

鶴羽の教員がわいわいと盛り上がる中心にいったい何があるのか、耳で分かったのだろう。

口元に手をやって、はにかみを隠していた。

5

ボンボン時計の音が聴松閣に響く。杏介は一人屋敷に留まっていた。

花本たちはすでに〝べんがら〟の席を立っている。家に帰ったり、もうひと踏ん張りと学園に戻ったりと様々だ。二階で寝ていた高井田もバツの悪い顔を伴って降りてきて、深々と頭を下げた。

「大きな借りね。これは」

「そんな、気になさらないでください」

今は高井田の見送りの帰りである。まだ頬に枕の跡が残っているのを、言おうか言うまいか迷いながら門と聴松閣を往復した。

玄関で靴を脱ぎ、改めて〝べんがら〟へと戻る。

ゆったりとした空気を孕《はら》んだ喫茶室では、場に溶け込むようないでたちをした少女がせっせとテーブルを拭いていた。

「やれやれ、忙《せわ》しなかったです」

綴は一度〝べんがら〟に戻ってきたが、また姿を消していた。杏介が「ずっと写真部と追いかけっこしていたの？」と尋ねると、ため息交じりにうなずく。

「範囲が北園《きたえん》の伴華楼《ばんがろう》まで広がってしまって大変でした。途中で戸部先生が止めてくださったので無事ですみましたが」

せっかく似合っているのだ。もったいない気もしてしまう。

杏介は感想を口にすることを控えた。綴の辟易《へきえき》ぶりはポーズでもなんでもない。

「そうだ。花本先生たち、スガリさんのこと絶賛だったよ。こんな楽しい部活を作ったんですねって。僕も読んでいてすごく面白かった」

感想を口にすれば綴はたちまち機嫌を直す。

「ありがとうございます」

杏介は持ち回っていた原稿用紙を綴に戻した。綴はそれを杏介に渡したときよりも一層愛おしげに受け取る。

「それにしてもすごいね、サクラソウの生息地まで考察に入れちゃうなんて」

「あぁ、それなんですが実はちょっとしたタネがありまして」

「……秘密の花園だけに？」

確認すると綴は小さく吹き出す。「ちょっと待っていてください」という声とともに厨房に消えた。

戻ってきた綴の手にはもう原稿用紙はない。それをしまう代わりに持ってきたのは、翻訳前、つまり英語版の『秘密の花園』だった。

「日本語版の『秘密の花園』に登場するサクラソウは、もともと原著の『Primrose』という単語を訳して出てきた言葉なんです。つまりプリムラです」

プリムラの生息地はサクラソウと異なり、ヨーロッパも含む。特にイギリスでは春に咲くポピュラーな花として扱われている。作中に出てくるようなよくある小道の花だ。

　杏介は驚いた声を上げた。

「え、じゃあ、訳の誤りなの？」

「いえ、プリムラはサクラソウ科の花なので、訳自体に誤りはありません。ただ花のことを知っている人間が読むと、印象が日本語版と英語版で少し変わってくるということなんです」

　そこから一気にクレイブン卿プラントハンター説に飛躍するのが綴らしさなのだろう。杏介が笑い交じりに相槌を打つと、綴は得意げに「本の読み方は自由ですから」とお決まりの文句を口にした。

「それに……」

「それに？」

「もしかしたらこの本の中にはすごい秘密があるんじゃないか？　って思いながら読むほうが、絶対に楽しくなるじゃないですか？　私は人と違ってもいいから自分の心が夢中になる方法を選びたいんです」

　写真部の生徒がいたならば間違いなくシャッターを押している。熱っぽく語る綴にはいつも以上に惹きつけられた。

　もともと人形を思わせるほど整った目鼻立ちをしている少女だ。微笑む、眉を少し上げる、といった微かな動きでも十分魅力を発する。

だが、今のように頬を上気させて好きなことについて語っていると、なんだかこちらにも熱が伝わってくる。心を開いてくれていると実感できるのだ。

「うんうん」

杏介は何度もうなずいた。花本たちと意気投合した経験もあって、興奮で体温が上がっているのを感じた。

「ここからどんどん盛り上げていきたいね、読書感想部」

「はい。そのためにも五十嵐先生にご挨拶したかったんですが、すれ違ってしまいました」

「五十嵐先生に？　どうして？」

意外な名前が綴の口から飛び出す。杏介は目を瞬かせた。

「先日のお肉のお礼です」

「ええ!?　あれ、五十嵐先生からだったの！」

杏介もしっかり覚えている。舜斗が正式入部した翌週のことだ。綴が愛知のブランド牛・知《ち》多牛《たぎゅう》の焼肉セットを持って家庭科準備室にやってきた。隣の家庭科実習室で美味しくいただこうという心算である。

むろん、杏介は止めた。が、所詮はチョロ山の説得だ。見事に綴、舜斗のタッグに押し切られ、若干の偏《かたよ》りを見せながら、四人前の焼肉は読書感想部とその顧問の胃に綺麗に収まったというわけである。

綴は肉を「お祝いに貰った」と言っていた。てっきり家から持たされたものだと思っていたのだが、まさか五十嵐から送られたものだったとは。

「でも、どうして？」

「五十嵐先生だからだと思いますよ」

けろりとした答えだ。

どうやら生徒の間では有名な話らしい。

生物担当の五十嵐は、誰もが一度は耳にしたことのある有名企業の創始者一族の出身だ。直系ではないものの、裕福な家の出であることには変わりなく、実家も覚王山駅周辺、つまり名古屋の一等地に建つ豪邸なのだという。

「なんかハリウッドセレブというよりは、資産家のおばあちゃんって感じなんですよね。『こんなおめでたいことがありました』って報告すると、『じゃあ私からもこれを』って感じであれこれ持たせてくださるので」

「いやいやいやいや」

正月の挨拶ではないのだ。よしんば綴たち未成年は一言のお礼ですむとしても、杏介の場合は顧問という肩書きがある。このまま知らんぷりというわけにはいかない。

昼のフレンチをやっと消化した胃がキリキリと泣きだした。

週明け、杏介は五十嵐の元を訪ねた。直前まで授業だったのか、白衣姿の五十嵐は化粧っけのない顔を綻ばせて杏介を迎えてくれた。

早速本題を切り出す。

「五十嵐先生、先日のお肉なんですが」

「どうです、美味しかったですか？」

「それはもう……じゃなくてですね。あんな高級なものをいただいて『ありがとうございました』だけでは申し訳なくて、何かお返しをしたいんです」

昼休み、森田と堤に泣きついたところ、なんと二人とも経験者だった。曰く、勝手に買ったお返しを持っていくとその場で断られてしまうので、先に要り用なものを聞いたほうがスマートなのだという。

「ああ、いいですよいいですよ。ちゃんと部活らしい人数が集まったお祝いなんですから。お返しなんて要りません」

「そうはいきません。なんでもいいんで言ってください！」

そこから数分、要る要らないの押し問答だ。頑として退かない杏介に、五十嵐も眉を下げ「強いて言えば、一つ……」と口走る。

「あるんですね！」

「ちょっとした雑用ですよ。いや、でも人を雇えばいい話だし、わざわざお願いするほどのことじゃないかなぁ」

「いいえ、お手伝いさせてください！」

杏介は鼻息荒く迫る。そしてとうとう五十嵐から「よろしく」の言葉を引き出すことに成功した。

順番があべこべだが雑用の内容を聞いたのは退室際になってからだった。

「実家の庭仕事です。バラが咲きすぎてすごいことになっちゃって」

「はぁ」

なんだか最近読んだ本そっくりな話題だ。そこまで考えたところで杏介の頭に妙案が過《よ》ぎった。

実はこの手伝い、己一人で行くよりも部員と一緒に行ったほうがよいのではないだろうか。

五十嵐に尋ねる。

「いつくらいにお伺いしていいものなんでしょうか？」

「いつでもいいですよ。それこそ明日にでも」

明日は火曜日。読書感想部の部活日だ。

くだけた返事に杏介の決意は固まった。

6

意外かもしれないが、東京の田園調布や横浜の山手、神戸の芦屋など「邸宅」と呼ぶにふさわしい大きさの家が建つ場所には坂道がつきものだ。

坂の多い街は傾斜のぶん一軒一軒の日当たりが良い。眺望にも優れ、低湿地を改良した土地と比べると地盤もしっかりしている。

杏介が率いる読書感想部が訪れた五十嵐の実家も坂道の途中にあり、豪邸と呼ぶにふさわしい規模と趣きを備えていた。

「でけぇ……」

観音開きのドアを中心に左右対称に造られた二階建ての家だ。門から玄関まで、子どもが徒競走できそうな距離がある。壁は丁寧にタイルで補強され、急勾配の切妻《きりづま》屋根が載っていた。

何より目を引くのは、英国風に整えられたエクステリアである。家の境界を彩るバラの生垣はちょうど見頃の季節を迎えている。スタンダードなカップ咲きから小ぶりなポンポン咲きまで、競い合うように咲いていた。

「まるでミッスルスウェイトのお屋敷ですね」

愛海が興奮を隠さず感想を口にする。その横で綴も気持ち良さそうに大きく深呼吸して、花の香りを楽しんでいた。

五十嵐は不在だが、アポイントメントは取ってくれている。持ち物は人数分の軍手、いでたちは汚れてもいいようにジャージだ。学園からもそう遠くない場所にあるので鞄はみんな置いてきていた。

インターホンを押す。しばらくして四角い箱から五十嵐そっくりの耳に残る声が返ってきた。

「こんにちは。鶴羽学園の直山と申します。本日はよろしくお願いします」

「あらあら、鶴羽の皆さん。娘がいつもお世話になってます。どうぞ入ってください」

重そうな門が音なく動く。人一人分の隙間ができあがる。

「なんか、ありとあらゆるものに圧倒されるね」

杏介は感心して舜斗に同意を求める。すると舜斗は意外な顔をした。

「そうか？　俺はてっきり、直センだったら慣れてるもんだと思ってたよ。あんた、いいところのボンボンだろ」

「ええー！」

杏介は目を剥いて驚く。不意打ちもいいところだ。

「全然！　全然だよ！　というか、そんな噂どこから流れているの？」

両親が海外で暮らしていることを吹聴して回る趣味はないし、暮らし……特に食事は倹《つま》しいほうだと思っている。

杏介に迫られた舜斗は一瞬眼を泳がせる。頭に浮かんでいるものに蓋をして別の返事を探しているようにも見えた。

「さぁな。イメージが一人歩きしてるんじゃないか？　男なのに手芸好きとか相当珍しいし、お手伝いの婆やの影響だとかいろいろ聞いたぜ」

「普通のサラリーマン家庭の子どもだよ。お手伝いさんなんていないって。嬉しくないなぁ、それ」

杏介は唇を引き結んだ。舜斗は「気にすんなよ。勝手に想像するのが楽しいだけなんだから」と声をかけてくれるが、どうにも心は沈む。

人とは違う好きなものを大っぴらにするから、予想外の言葉を向けられるのか。自問自答を繰り返すほどにもやもやとした気持ちが膨らんでいく。

杏介は渋い顔のまま、五十嵐の母に連れられて庭に回った。

小さな家であれば、庭の中に建てられるのではないかという広さだ。造りも玄関回りは序章に過ぎなかったとばかりの出来で、芝生の広さを残しつつ、あちこちに木々が植えられている。もちろんバラも多くあり、見事に満開の花を咲かせていた。

五十嵐は幼少期、一日中庭で遊んでいたと言っていたが、これなら毎日過ごしていても飽きることはないだろう。

「立派なお庭ですね」と綴が声をかける。藤代《ふじよ》と名乗った五十嵐の母は、右手をひらひらと振った。

「比例して手間がすごいの。主人も自分の趣味……ゴルフなんですけどね、があるのであまり手伝ってはくれないし。やってもほら、あのパターコースくらいで」

示す先には、杏介たちが立つ場所とは色の違う芝がある。ホールカップとピンフラッグもしっかり用意してあり、そこだけがゴルフ場の様相を呈していた。

「あれだって放置気味で私が見ているんですよ？　自分は部屋に引きこもって日がなクラブを磨いているのだから、仕方のない人だわ」

五十嵐母の愚痴をＢＧＭに作業を始める。雑草取りに肥料の運び入れ、伸び過ぎたエルダーフラワーの枝を剪定《せんてい》し、リンゴの実の間引きを行う。

運動系の部活に所属していない限り、高校生であっても体を動かす機会は体育の授業くらいだ。杏介も生粋のインドア派である。

太陽の下でじんわりと汗をかきながら手足を動かすというのは、新鮮さを覚える作業だった。

「スガリ先輩、なんか楽しいですね」

意外にも愛海が一番エンジョイしている。丸い頬に土がついているのも気にせず、綴とともにせっせと寄せ植えの交換をしていた。

「うん。きっとメアリたちもこんな感じで庭に出ていたんだろうな」

「スガリ、お前も土いじりは経験薄いのか？」

猫車を押して通る舜斗がさっと尋ねる。

綴は三つ編みを揺らしながら答えた。

「それなりにありますよ。ただお庭、というよりは畑仕事の手伝いが多かったんです。あとは桑取り、それから〝スガリ追い〟ですね」

出た、と杏介は内心思った。

綴の曾祖母、ムツから聞いている。餌を山の中の巣へ持ち帰る地蜂の習性を利用し、巣を見つける長野の伝統猟だ。地域によって「スガレ追い」とも呼ぶ。

とにかく走る作業だ。小さい頃から参加している綴の体が鍛えられているのも無理はない。今も底なしの体力を見せつけるように、涼しい顔で庭仕事をこなしている。

熱中症の気配を見せ、早々に休むことになった己と比べると月とすっぽんだ。

「お役に立てず、すみません……」

「いーえ、夫の三倍は働いてくださいましたよ。大助かりだわ」

杏介は借りた麦わら帽子の中で申し訳なく謝罪した。働きに来たはずなのに、青々と葉を茂らせるリンゴの木の下で一人見学である。敷いてもらったビニールシートの上に座っている。

視線が低くなったせいだろう、今まで意識していなかったものが目についた。

「あれ？　五十嵐さん、ひょっとして犬を飼っているんですか？」

パターコースのさらに奥にある、煉瓦《れんが》造りの小さな家だ。家といっても大人が出入りできるような大きさではない。せいぜい大型犬が寝泊まりする程度である。

　杏介の質問に藤代は首を振った。

「ああ、あれは娘が小さかった頃に夫が作ったドールハウスよ。庭にばかり出るから、いっそ人形遊びも外でやったらいいって」

「へえ～」

　遠目からでもずいぶんと凝った造りであることが分かる。「中もぜひ見てみてちょうだい」という言葉に甘え、杏介はビニールシートから立ち上がり藤代に続いた。

　近づいてみるとかなり大きい。未就学児が遊ぶプレイハウスといった具合だ。ただし、窓から見える家の中は屋外の小屋というよりは本当に家のようになっていて、壁紙や家具がきちんと用意されている。

「すごいですね」

「長いこと誰も触っていないので、あちこち傷んでしまっているんですけどね」

　綴たちも作業の手を止めてドールハウス見学にやってきた。

「わぁ、お人形がいますよ」

　しゃがみこんで窓の中を眺めていた愛海が黄色い声を上げた。

「着せ替え人形のナナちゃんよ。娘のお気に入りだったの」

愛海が見つけたのは、すらりとした手脚を持つ、テディベアほどの大きさをした人形だ。名古屋駅近くで通行人を見下ろす巨大モニュメントとは違い、ちゃんと髪の毛も付いている。五十嵐の父が用意したと思しき椅子に座っていた。

「いいなぁ。小さい頃にこんなのあったら私ずっとここにいました」

本格的な調度品に囲まれてのままごとだ。さぞや楽しいだろう。杏介にも容易に、おもちゃのポットでお茶を振る舞う幼い五十嵐の姿が想像できた。

「ナナちゃんはずっと家の中にいるんですか？」

「ええ。情けない話なんだけど……」

何気ない綴の質問に藤代は微苦笑を浮かべた。

だがなぜか続きを告げることなく固まってしまう。

「五十嵐さん？」

「いったいどういうことなの？」

杏介たちを置いてけぼりにして藤代は怪訝《けげん》な表情を浮かべる。その視線は立派なドールハウスに注がれている。数度目を擦るが、やはり疑念は払拭されないらしい。

うわごとのようにつぶやく。

「服が……違うわ」

「着せ替え人形であれば自然なことでは？」

杏介の指摘に藤代は首を横に振った。混乱を隠しきれず半分笑ってさえいる。

「いいえ。ありえないんですよ、直山先生。さっき言いかけたことなのだけれど、このドールハウスの扉はもう開かないの」

「え？」

「凝り性な夫が、特注で小さい鍵を作らせて取り付けたんです。だけど娘ったらそそっかしくて、大事な鍵を大掃除のときに捨ててしまったのよ。もう十年くらい前かしら」

「すごいですよ、それ！」

とたんに綴が快哉《かいさい》を叫んだ。

先ほどの愛海の比ではない。興奮で体を脈打たせているのが傍目からでも分かる。

何を連想しているのか、聞かずとも明らかだ。

綴だけではない。愛海も、舜斗も、杏介も、みんな同じことを考えている。全員が同じ作品を読み、考え、想いを馳せたから。

部を代表して綴が尋ねる。

「つまりこのドールハウスは、十年前から開かずの間になっている、ということですね？『秘密の花園』のように！」

綴の勢いに気圧されながらも藤代は一度うなずく。

読書感想部部長は喜色満面《きしょくまんめん》に再びドールハウスの中を覗き込んだ。

さぁ、解いてごらん――

密室の中で人形は謎かけするように優雅に微笑んでいた。

7

杏介たちは藤代が家から持ってきてくれた写真を覗き込んだ。

そこには、満面の笑みを浮かべる少女がいる。できあがったばかりのドールハウスの横で、大事そうに人形を抱えている。

幼い頃の五十嵐だ。

「鍵を失くした頃は、ちょうどこれと同じ服を着ていたはずなの」

フリルをふんだんに使ったドレスである。少女が不器用な手で一生懸命着せ替えたのだろう。襟《えり》ぐりが大きく右に開いてしまっている、不格好な着こなしだ。裾《すそ》にも商品タグがついたままになっていた。

杏介は再びドールハウスの前で腰をかがめた。窓の中のナナちゃん人形の姿を見る。

藤代の言うとおりお姫様然とした雰囲気はどこにもない。大人びたデザインのツイードスーツ姿だ。デパートの店頭に置かれたマネキンのように、ぴっちりと綺麗に着付けられている。

「これは……」

自然と唸り声が出た。同調するように、愛海も声に混乱を滲ませながら「鍵、かかっているんですよね？」と確認した。

ドアの一番傍に立っている舜斗が確認する。ドアノブを回すごとに起こる無骨な音が答えだった。

「この服に見覚えは？」

「ないわ。初めて見ました」

「実は五十嵐先生がスペアの鍵を持っていて、こっそり遊んでいるとかって、ありえます？」

「十年前に失くした鍵こそがスペアなの。一本目はとっくの昔に失くしてしまったわ」

ドールハウスの出入口はたった一つ、ドアしかない。板張りの屋根は昔漆喰《しっくい》で固めたという話だし、窓ははめ殺しである。一応、綴が手の甲で叩いて確認したが、本物の家のようにドールハウスのガラスはビクともしなかった。

「いったい誰が？」

麦わら帽子の中で杏介が小さく口走った。

突然現れた謎にアドレナリンがどばどば出ているのだろう。蚊の鳴くような声だったのに、綴の耳はきちんと聞き取っている。

綴は淡く微笑み、「もちろんフーダニットも気になりますが……」と言葉を繋いだ。

「私が一番興味があるのはハウダニットです。メアリの見つけた花園と違ってこの家には屋根がありますからね」

「ベン爺さん、だな」

「そうです。丹波先輩」

二人が挙げた人物の正体は『秘密の花園』の登場人物だ。アーチボルド・クレイブン卿の住む屋敷の庭を任された老庭師である。亡き奥方の遺志を継いでバラの世話をするため、花園にこっそり入り込んでいた。

方法は簡単だ。秘密の花園は四方に煉瓦の壁が建つだけで、頭上はぽっかりと空いている。草木を育てるためには日光が欠かせない。庭師のベンは煉瓦造りの壁に梯子をかけ、壁を乗り越えることで庭に出入りしていたのである。

しかし、覚王山の豪奢《ごうしゃ》な庭にある煉瓦造りのドールハウスの場合はそうはいかない。杏介たちの眼前にあるのは正真正銘の密室である。

綴は口元に手をやり、しばし思案する。

その間、愛海が藤代に尋ねた。

「最後にナナちゃんの服を確認されたのはいつくらいか、憶えていますか？」

「ごめんなさい。定期的に見ているといったものではないから。鍵は、もう誰にも開けられないと思っていたんですもの」

真っ当な感覚だ、と杏介もうなずく。

それに要素は他にもある。ドールハウスの立地だ。煉瓦造りの小さな家は広大な五十嵐家の庭の端にある。夫のためのパター練習場のさらに奥、あまり整備されていないエリアだ。敷地の境界を示す生垣とも隣接していて、伸びてきたバラの蔓《つる》が壁や屋根に絡んでいる。緑の幕で覆ったようだ。秘密の花園めいた様相、ということもできる。

「スガリ先輩、家の中も花園のようですよ」

後輩に促され綴は愛海の隣に並んだ。人形の家の窓だ。大きさはたかが知れている。

「なんだかほっぺたがくっつきそうだね。私は構わないけれど……、そうだ」

綴は躊躇《ちゅうちょ》なく芝生に体を投げ出した。しゃがんでいる愛海の足元に頭を突っ込むような具合である。

「ス、スガリ先輩！」

「気にしないでいいよ。ああ、あれだね」

杏介と舜斗は反対側の窓に回り込む。綴のような無茶な姿勢はとらずとも、愛海が家の中の何を指しているのかはすぐに分かった。

ナナちゃん人形の頭上に、小さなバラの蕾がついている。造花ではない。ドールハウスの外に咲いているものと同じ品種である。

「生命力が強いんだな、バラって」

舜斗が感心すると藤代が目尻を下げた。

「そうなんですよ。冬には寂しい姿になってしまうから、ついつい勘違いしてしまうけれど、実は強《したた》かな生き物なんです。そのぶん手入れも大変で……」

『秘密の花園』でも、枯れた姿から一変、春には見事な花を咲かせていた。五十嵐家のようにきちんと世話をすればなおのことだろう。

藤代は愛おしそうに蔓の先に指を絡める。真似するように綴も人さし指で軽くバラの枝を引いた。

しばらくドールハウスの周りを見て回る。これといった手がかりもなくみんなの集中力が切れ始めた頃、舜斗が杏介に声をかけた。

「直セン。生垣の裏がどうなってるか見えるか？」

「ええっとね……」

生垣の高さは杏介の身長といい勝負をしている。裏を返せば、杏介だけは生垣の向こう側の様子が見えた。

爪先立ちになってみる。

「なんだろう？　遊歩道、かな？」

五十嵐家の庭と比べると雑然とした感じだが、緑豊かな細道だ。

「私道なんですよ。土地としてはうちのものなのだけれど、ここら辺以上に手入れが回っていなくて、通り抜けも……」

そこで藤代は再び言葉を詰まらせる。ハッとした顔だ。

「そうだわ。私、最近一度このドールハウスの前に来たのよ。悲鳴が聞こえたから」

「悲鳴？」

杏介はウェリントンフレームの眼鏡の奥で目を瞬かせる。なんだか不吉な字面だ。

遠慮がちにうなずいて藤代は語り出した。


二週間くらい前のことだ。藤代が朝の水やりをしていたら突然人の声が爆《は》ぜた。言葉にすると「うわぁ！」といった具合で、少年とも少女とも取れる若い声だったという。

刹那に最悪の想像が藤代の頭を過ぎった。生垣の裏にある私道はまったく整備されていない。一応飛び石を並べてあるが、隙間から生えた雑草は膝の高さまで伸びてしまっている。五十嵐家の人間も近所の者も近寄りすらしないのだ。

そうとは知らずに誰かが通り抜けを試みたとしたら？

そして草に足を取られ、飛び石に向かって転んだとしたら？

「怪我をしていないか生垣越しに声をかけたんです。けれども返事はなくて。それで私、もしかして泥棒だったのかしらって思ったの」

なんだか怖くなり、藤代は生垣の周辺に変わった様子がないか見て回った。そのときドールハウスも一応覗き込んだのだという。

「そのときのナナちゃんの服は？」

綴の質問に藤代は粉っぽい頬に手を当てる。しばし沈黙したあとで申し訳なさそうに答えた。

「ドレスだったはずよ。そうでなければ今日こんなに驚くことはないんですもの」

念のため、手入れを怠っているという私道を見せてくれるという。藤代に続き一行は五十嵐家の正面玄関がある道に回り込んだ。

隣の家も五十嵐家と遜色《そんしよく》ない大きさをしている。その間に藤代の指す私道があった。鬱蒼《うつそう》とした林だ。車も通れそうな道幅をしている。ただし、実際に車で通ったら車体は無事ではすまないだろう。地面はアスファルトではなくちゃぶ台の板ほどの大きさをした飛び石だし、その隙間からは雑草が勢いよく伸びている。道の左右の藪《やぶ》からは木の枝が伸び、人ですら草木と触れずに歩き切ることは不可能だった。

「懐かしい感じです」

綴は藤代と先頭を替わり、ハードルを越えるような要領で雑草を飛び越える。ジャージ姿だからこそできるお転婆だ。舜斗があとに続いた。

「おい、スガリ。あそこ見てみろよ」

「誰かが雑草を踏んで倒した形跡がありますね。一メートルくらいでしょうか？」

もっと近づこうと舜斗が綴を抜かす。次の飛び石へ飛び移ろうと体をかがめる。

すぐさま「止まってください、丹波先輩！」という綴の鋭い声が飛んだ。

「正面の木に巻きついている蔦《つた》、葉が三枚一組になっています。おそらくツタウルシです。素手で触ると大惨事ですよ」

英語圏では「ポイズンアイビー」と呼ばれる植物だ。強い毒性を持ち、かぶれると皮膚が火傷をしたようになってしまう。

「マジか」

舜斗が慌てて姿勢を戻す。よろけた体に手を貸し、綴はツタウルシと倒れた雑草を何度も見返した。

「……まさかね」

自分に言い聞かせるような具合だ。そのまま一人、思索に耽《ふけ》ってしまいそうな顔でもある。

「どうかしたの？　スガリさん」

杏介が声をかけると綴は短く首を振った。舜斗に声をかけて軽い足取りで飛び石を跳ねる。

最後には両手を上げた状態で、五十嵐家の前を通る車道に着地した。

「直山先生、一つ伺ってもいいですか？」

新体操のようなポーズが気に入ったのか、綴は万歳をしたまま首を回す。

これしきで動揺してはいけない。杏介は朗らかに応じた。

「何かな？」

「先ほど唸っていましたよね？　ドールハウスの前で」

「ああ、確かに。声が漏れちゃったかもしれないね」

深く意図することなく肯《うべな》うと、綴の瞳の色が見る見るうちに変わった。そのまま見入ってしまいそうな深さだ。

確信を伴うしっかりした口調で綴が尋ねる。

「あれ、ナナちゃんの服が替わっていた以外にも理由があるんじゃないんですか？」

「え？」

杏介は言葉を喉に詰まらせた。

図星だったのだ。

8

再び五十嵐家の広い庭に戻ってくると、見知らぬ男が一人杏介たちを待っていた。

「あなた、夜まで打ちっぱなしじゃなかったの？」

「気が変わって帰ってきたんだ。その人たちは誰だ？」

「鶴羽の生徒さんと先生よ。ボランティアで庭のお手入れに来てくださったの」

「そうか」

正樹《まさき》と名乗った小太りの男は、藤代とまったく同じ文言で挨拶をした。ただし口調は妻とは似ても似つかず、その目は杏介たちを招かれざる客として捉えている。

申告どおり、ゴルフ練習場から今しがた帰ってきたところなのだろう。正樹の背には大仰なゴルフバッグがある。中には本当に使い回しているのかと疑いたくなるほど大量のドライバーやアイアン、パターが収まっていて、ご丁寧にもすべてにパッチワーク布のカバーがついていた。

綴がちらと杏介のほうを見る。杏介は微かにうなずく。その横で「聞いてくださいよ、あなた」と、藤代が口火を切った。

「誰かが芽衣子《めいこ》のドールハウスに悪戯したみたいなんです。ナナちゃんの服がいつの間にか替わってしまっていたの。鍵はとっくの昔に失くしたというのに」

捲《まく》し立てるような口調が耳に障ったのか、正樹は眉間の皺をますます深くする。苛立ち混じりに「くだらない」と切り捨てるものだから、藤代はますますヒートアップした。

「くだらないものですか。やっぱり防犯カメラをここにも付けておいたほうがよかったんだわ。真裏は誰でも通り抜けできるようになっているし、垣根を潜って入ることだって、やろうと思えばできるもの」

「お前の推測にすぎんだろう。鶴羽の若者たちまで巻き込んでご迷惑だと思わないのか。日も傾いてきているし、帰ってもらったほうがいい」

「もう！　あなたはいつもそうね。自分だけで決めて、それが正しいことだって振る舞って」

すわ夫婦喧嘩かという一触即発な雰囲気だ。

杏介は一応、「あの、落ち着いてお話をされたほうが……」となだめたが、声が小さすぎて五十嵐夫婦には届かない。対照的に綴がハキハキとした語調で二人の間に割って入った。

「ご配慮ありがとうございます。もちろんご迷惑になるほど長居はしません」

「君は？」

「スガリと申します。鶴羽学園高等部で読書感想部という部活の部長をしています」

自信満々、当然とばかりに自己紹介するものだから、正樹も毒気を抜かれたようだ。それとも、少女漫画から飛び出してきたような綴の目鼻立ちに圧倒されたのか、どちらにせよ先ほどまでの高圧的な態度が一瞬なりを潜める。

すかさず綴が話を続けた。

「私たち最近、『秘密の花園』という作品をみんなで読んだんです。おかげでナナちゃんに起きた不可解な現象を理解することができました」

「なんだと？」

「謎が解けたんですか、スガリ先輩⁉」

綴はゆったりとうなずいた。

「鍵は物語にあるとおり、植物の持つ生命力なんです。花園が奇跡を起こしたように、このドールハウスに巻きつく植物、蔓性のバラですね……も、一見すると不可解な状況を可能なものにしていたんですよ」

綴はドールハウスの窓の中を指さした。

「一見して分かるとおり、煉瓦造りの頑丈なドールハウスはバラの干渉を受けています。緑が壁と屋根を覆っていますが、注目していただきたいのは家の中です。ナナちゃんの頭上にバラの蕾がありますね？」

先ほど愛海が見つけたものだ。ドールハウスを覆う蔓バラは家の中にも入り込んでいる。

「実はしゃがみこんで見上げないと分からないことなんですが、天井は……というか天井もだいぶ蔓バラに侵食されているんです。窓から見える蕾はたまたま伸びてきたものではなく、もう太陽の方向に向かって蔓を伸ばす余地がないので、下に降りてきたんですよ」

「それ……普通の家だったらかなりまずいよな？」

舜斗の指摘に、綴は「はい」と返した。

「そうなんです。きっと業者さんが見たら卒倒すると思います。漆喰固めだからと油断して、どうしてこんなことになるまで放っておいたんだ！　って」

ドールハウスの壁と屋根は漆喰で繋がっている。消石灰《しょうせっかい》と水、砂を混ぜて作った接着剤は乾くと強度が増し、風雨に耐える硬さを備えるようになる。

ただし、硬い反面脆《もろ》くもあるのが漆喰だ。ちょっとしたことで欠ける。この特性は蔓とすこぶる相性が悪い。

蔓はわずかな隙間に入り込み成長する。音もなく家を蝕《むしば》んでいく。

「結果、ドールハウスの屋根は実はあってないような状態になっているんです」

綴はおもむろにドールハウスの屋根の縁《ふち》を持った。「よいしょ」という掛け声とともに体を反らせる。反対側の縁を支点にし、テコの原理を使っているとはいえ、蔓が繋いでいるだけの屋根は比較的簡単に持ち上がる。

「こうやって動かすと蔓が切れてしまうのが難点ですが、放っておけばまた伸びて屋根と壁を繋ぎます。屋根そのものの重さもありますから、多少の雨風であればビクともしないかと」

誰もが声を失っている。特に正樹の顔は真っ青だ。

杏介は慌てて「断りもなしにすみません」と頭を下げる。夫に代わって藤代が「構いませんよ」と応えた。

「私は、密室の謎が解けてスッキリしたわ。でも……一つ分からないの」

「フーダニットですね」

藤代は唇を引き結んでうなずいた。

「蔓のカラクリを利用するにはまずドールハウスの造りを熟知していなければなりません。なので、誰がやったのかは自ずと絞られると思います」

「私が犯人だと言うのか!?」

正樹の声が爆ぜる。顔は今度は茹《ゆ》でたようだ。

「黙って聞いていれば、手前勝手なことばかりベラベラと。だいたいなぜ私が人形なんて触らないといけないんだ！」

大の大人でも怯《ひる》む剣幕だが綴は動じない。

「好きだからだと思います」

「そんなわけないだろう。こう言っちゃ悪いが女の遊びだ」

「だからこそ、言い逃れができるやり方を選ばれたんじゃないんですか？『そもそも密室の人形をどうやって着替えさせるんだ』って言い返せますから」

冷静な指摘に正樹はぐうの音も出せずに黙り込む。

妻とはいえすべてが初耳だったらしい。藤代は、目を丸くして綴と夫を交互に見た。

「正確には、お人形遊びがお好きなわけではないと思うんですけれど」

「……何が根拠だ？」

「今のナナちゃんのお洋服です。あれは子どもが遊ぶ市販品と違い、ナナちゃんの体格にきっちり合わせて作られた、ハンドメイドのお洋服なんです」

一般的な着せ替え人形は小さな手で扱えるよう、ノースリーブであったり、袖にゆとりを持たせて作ってある。一方で、ナナちゃんが纏《まと》っているツイードジャケットは、「サイズが大きければ店で出せる」と杏介が太鼓判を押すレベルだ。

「今背負われているクラブのカバーも、すべて手縫いのようですし」

「嫌だ。松坂屋でまとめて買ったって言っていたじゃない！」

正樹はとうとう観念した。瞼を閉じ鼻から長く息をつく。顔は依然赤いまま「その子の言うとおりだ」と告白を始めた。

「お前が庭に出ている間に作っていた。ナナちゃんの服は……一番新しくできたものだ」

男のくせに手芸好きだなんて外聞が悪い。だが同じくらいに、立派な出来栄えの服を飾りたい。そのとき、自分しか知るはずのないドールハウスの〝秘密〟を思い出したのだという。

「まさか、こんなにあっさりと見破られるとは思わなかったがな。さすがは女の子だ」

正樹は目を細めて綴を褒める。

当の綴は、一度きょとんとした表情をのぞかせたあと、否定するため手の平を正樹に向けた。

「いえ、私の目利きではありません。というか、私では絶対に分かりません」

「何？」

「洋服への興味が薄いんです。三兄弟でただ一人の女の子だから、あれこれ着せられた反動なんだと思います。ナナちゃんのお洋服も、クラブカバーも、すべて直山先生が見抜いてくださいました」

誰の目から見ても正樹が混乱していることは明らかだ。「この先生が？　だけど、なぜ……？」とひとりごちるように疑問を口走る。

視線が己に集まっているのが分かる。

まごつく必要はない。答えははっきりと胸の中にある。

「好きだから、です」

杏介はくすぐったげに告げた。

「この人、家庭科担当だぜ？」

舜斗の補足にだめ押しとばかりに綴が付け足した。

「それも裁縫の直山、料理の大江《おおえ》と呼ばれる鶴羽学園の双璧《そうへき》の一人なんですよ」

「そんな大げさなものを名乗ったことはないよ！」

杏介はすぐさま長い身を縮こまらせた。

正樹はというと呆気にとられている。何度も何度も杏介の姿を確かめる。

ようやく綴たちの話を信じる気になったのだろう、嘆息交じりにつぶやいた。

「時代は……変わるものだな」

「いえ、そんなことはありません」

杏介はすぐさま否定した。

五十嵐邸を訪れたとき、舜斗から聞かされた噂話がいい例だ。時代が進もうと、人の頭にある枠から外れてしまえば奇異の目でもって迎えられる。

快いとは思わない。避けて通りたいという気持ちは間違いなく本物だ。

「それでも〝好き〟を隠してしまうのは間違っています」

――かわいげがないと疎まれた少女が、庭の再生とともに明るさを手に入れたように。

――大人になれずに死んでしまうと嘆いていた少年が、自らの足で花園に立ったように。

これほどまでに前向きになれる感情はないのだから。

「好きなものを素直に好きと言えば、心はきっと軽くなりますよ」

遠慮がちに結論づける。

綴が誰よりも熱い視線を寄せる。羞恥が一気にこみ上げ、杏介は「本当に個人的な意見なんですけど」と付け足した。

正樹は口元に手をやりしばし考えるように沈黙した。

「もし――」

手で隠しているせいもあってもごもごと聞き取りづらい。

根気よく続きを待つ。

「もし、私の部屋に他にも作ったものがあると言ったら……？」

杏介は破顔した。

「ぜひ見せてください」

気難しい男の顔が見る見るうちに柔らかくなった。


杏介は上機嫌に鶴羽学園への帰路についていた。

週末、正樹と揚輝荘でナナちゃんドレスの新作作りを相談する約束をしたのだ。綴もしっかりシフトが入っている。つまり〝デート〟だ。

「えへへ、一からの洋裁とか久しぶりだなぁ」

日はつい先ほど暮れ、学園の下校時刻も迫っている。何もかもが順調に進んでいるような気がして、つい変な笑い声が出てしまう。

だが皆が皆、杏介のような浮かれ気分でいるわけではない。

舜斗はむくれた顔をしている。腑に落ちないと評してもよかった。

「なぁ、いっこ忘れてねぇか？」

「え？」

「庭の裏で聞こえた悲鳴の話だよ。あれは謎のままでいいのか？」

「あ、そういえば」

ナナちゃん人形を着せ替えていたのは五十嵐家の主人・正樹であったから、無関係の事象だったということになったのだが、藤代が心配したとおり泥棒の下見だったとするならば一大事だ。

「まあ、話のとおり監視カメラを増設すればすぐに分かることなのかもしれないけどな」

「そのことなんですけど」

先頭を歩いていた綴が振り返る。お土産にと藤代が新聞紙に包んでくれた花束を持っていた。夕暮れの風に乗って甘い香りが杏介の鼻先をかすめる。

「実は私、心当たりがあるんです」

「本当なの、スガリさん！」

「ええ、まあ」

綴らしからぬ反応だ。歯切れが悪く、さらにいえばげっそりともしていた。

「そろそろ時間ですから、鉢合わせする可能性が高いと思うんですけど。あ、いたいた」

示す先には長いシルエットがある。街灯に照らされているせいもあるが、そもそも身長が高い。杏介にも似たひょろりとした体形だ。

見慣れた制服。さらにいえば顔にも覚えがある。

相手も、自分も持っているジャージの一行が近づいてきていることに気づいたのだろう。

「あれぇ、読書感想部の皆さんじゃないですか。なんでジャージなんですか？」

「ちょっとね。それよりも結城くん、その荷物どうしたの？」

綴のクラスメイト、結城登《のぼる》だ。高井田が顧問を務める図書委員の部長でもある。

インドア派はお互い様なはずだ。だというのに登の背には大きなリュックサックがあった。

それだけではなく、テントの骨組みと思しきポールに寝袋、脇には飯盒《はんごう》さえぶら下がっている。

「何かあったの？」

「僕はいつもこうですよ。野宿先を探しているんで」

「の、野宿!?」

まったく予想していなかった単語だ。閑静な住宅街に杏介の悲鳴が響いた。

登は明日の天気でも教えるように淀みなく答える。

「ええ、野宿です。僕の家、岐阜の山間部にあるんです。名古屋市内に毎日通うのってしんどいんですよ。片道二時間かかりますからね。往復で四時間、一日の六分の一を電車の上で過ごす計算です。だったら、学校の近くで野宿しちゃおうって思いまして」

「思っちゃダメだよ！」

思わず突っ込んでしまう。

登は意に介さず、「オススメは城山《しろやま》八幡宮の裏ですね。いい窪みがあるんです」と続けた。

杏介が登と初めて出会ったとき、登は高井田の目も気にすることなく図書館カウンターで惰《だ》眠《みん》を貪《むさぼ》っていた。あのとき登は成長期だからだと分析していたが、もしかせずとも遠距離通学ないしは野宿のせいだろう。単に睡眠時間が足りていないのだ。

裏付けるように登の笑みには力が入っていない。なんだかヘラヘラしている。

「スガリさんには話したことなんですけど、最近この近所ですごく良い場所を見つけたんですよ。人通りは少ないし、学校にも近いし。なのに、うっかりウルシの傍に寝床を作ってしまったらしくて。ほっぺたがエライことになりました」

だから先日、自販機コーナーで綴と話していたとき顔にガーゼを貼っていたのか。綴が悲鳴の犯人に気づけたのは、ジュースを奢ってもらったときに登からあれこれ話を聞いたからだ。

エキセントリックさで綴を超える人物はいないと思っていたのだが。上には上がいる。

（いや、どっちもどっちか）

苦笑いの裏で杏介は一人訂正する。

視線に気づいたのだろう。綴はなんだか言いたいことがありそうな顔をして瞼を閉じていた。

9

なんとか登を説得し、杏介率いる読書感想部は流浪《るろう》の図書委員長を覚王山の駅まで見送った。

登は最後までのらりくらりとしていて、「学園での宿泊を許可いただければ一番楽なんですけど」とまで嘯《うそぶ》いていたが、綴の「いい加減風邪を引くと思うよ」という鶴の一声が効いたらしい。大きな荷物をかちゃかちゃいわせて去っていった。

「さすが、戸部セン率いる二年二組だな。変人揃いだ」

「変なのは結城くんだけですよ」

「いや、お前自身をカウントしろよ」

舜斗の指摘に、愛海がたまらずくすくすと笑い出した。

「ですが、私には魅力的に聞こえました。学校に泊まるって話」

「あれ？　愛海ちゃん、夏の林間学校が憂鬱《ゆううつ》だって話していなかったっけ？」

綴の声の調子が、嫌味ではなく純粋に疑問であることを示している。

愛海も誤魔化すことなく、「クラスでってなると、ちょっと尻込みしちゃいますけど……」

と切り出した。

「その、身近な人というか、この部で……合宿とかできたら、楽しいかなって思って」

「いいね、それ！」

皆まで言う前に綴の顔がぱぁと華やぐ。愛海も安心したように捲し立てた。

「ですよね！　家庭科実習室でご飯作ったりとかして！　もし実現するなら『秘密の花園』に

出てきたジャガバターを作りたいんです！」

庭で遊ぶ合間に食べる蒸し焼きのジャガイモだ。搾りたてのミルクから作ったバターや塩をつければ頬が落ちそうな味になるという。

舜斗も大きくうなずく。杏介も顔を綻ばせた。

「確かに、あれは美味そうだった」

「素敵だね。せっかくだからバターから作ってみようか」

鶴羽学園の門をくぐる頃には、夏の合宿計画の枠組みができあがる。大方が今まで読んだ作品に出てきた美味しそうな食べ物を作ることに偏っていたのは、みんな庭仕事のおかげでお腹が空いているからだろう。

杏介も久しぶりに胃袋が前向きな悲鳴を上げていることを感じる。今ならマフィンでもポリッジでも完食できるだろう。

「中間試験が終わったばかりだけど、夏休みが楽しみだね」

社交辞令ではなく心から述べ、杏介は家庭科準備室のドアを開ける。

部屋の中は真っ暗だ。大江はすでに帰ってしまっているらしい。しかし窓は開いているようで、頬に一層冷えた夜風が当たった。

「うん？」

耳が何かを捉える。知っている音だ。最近馴染み深くなった。

今日もしっかり聞いている。綴が渡してくれたからだ。

紙と紙が擦れる乾いた音が、かさかさと、さわさわと立つ。

「原稿用紙？」

奇妙なことに、そこら中から。

杏介は壁のスイッチに手を伸ばした。無機質な明かりが灯る。家庭科準備室の様が、露わになる。

「え⁉」

風が再び綴の原稿用紙を舞い上げる。

五十嵐家に持っていく必要はないと、置いていった読書感想文のストックだ。

あるものは破られ、あるものは踏みつけられ、虐げられた姿で持ち主の帰りを迎える。

杏介がうわごとのようにつぶやく。

「何、これ……？」

真後ろには立ち尽くす綴の気配がある。

平然を保てない息遣いが口から漏れていた。

エピローグ

鶴羽《つるばね》学園高等部の最終下校時刻は夜七時だ。部活動で使用していない校舎の明かりはすでに落ち、あたりには濃い闇が広がっている。A校舎にある職員室も例外ではなく、一角を除いてすでに人がはけていた。

中間試験という山場を乗り切ったばかりの時期だ。次のイベントは六月に行われる高校三年生の修学旅行だが、開校以来毎年決まった場所を訪れるため、これといって備える必要はない。それでも教頭の野間垣《のまがき》は一人、明かりを落とした職員室の中でパソコンと睨めっこをしていた。次回の教員会議で用いる資料を作っているのである。

画面の端にある時計を見れば、すぐに下校チャイムが鳴る時間だ。大きな窓の外には、背中をすっぽりと隠せそうなナイロンバッグを提げた集団が歩いていた。サッカー部だ。ボクシング部が未申請の深夜練習で厳重注意を受け、活動を縮小したあとに台頭してきた部である。ハードな練習をこなしたあとでも体力が残っているのか、制服をだらしなく着崩した男子生徒たちは互いにじゃれあい、職員室にも聞こえる笑い声を響かせている。

普段であれば青筋を立てて怒るところだ。鶴羽学園があるのは人里離れた山の麓でもなければ工業地帯の傍でもない。閑静な、それも名古屋で指折りの高級住宅街のど真ん中なのだ。昔は松坂屋百貨店の創設者・伊藤祐民《いとうすけたみ》が別荘として使っていた由緒正しい土地でもある。猿の親戚のような声で騒げば、近隣住民から騒音だとクレームがついてしまう。

「ああいう風に、トラブルなく部活に勤しんでくれれば一番なんですよ」

だが野間垣は嘆くようにつぶやいた。

眼前にあるのは来週の教員会議のテーマだ。生徒から寄せられた学校生活に関する相談の資料である。

鶴羽学園の場合、生徒の相談窓口は常設の相談ポストの他に、担任との面談、養護教諭によるヒアリングと多岐にわたる。

野間垣はこれらを定期的に集計し、相談内容をジャンル分けする。教員会議で取り上げて対策を検討するためだ。

やっていること自体は至極簡単な作業なのだが、内容が内容なため毎回思うように進まない。

野間垣は疲れた声で画面の文字を読み上げた。

「人間関係、ねぇ」

「悩ましいもんですね」

「まったくですよ」

返事をしたあと、野間垣は慌てて振り向いた。

「坂本《さかもと》学園長、残っていらっしゃったんですかね!?」

地金の喋りが出てしまう。自分以外の誰かが残っているとは思ってもいなかったし、しかもそれは上司の坂本だったのだ。驚きは二倍だった。

名前を呼ばれた男は白い歯を見せる。

「たまたまね。野間垣先生も遅くまでご苦労様」

連日東京や大阪に新幹線で出張に出ている、やり手のサラリーマンといった風貌の男だ。品の良いスーツを着こなし、姿勢の良さを見せつけるようにキビキビと動く。そのせいか、野間垣は坂本と並んでいると歳をあべこべに捉えられることが多かった。

「ふむふむ、なるほどね」

坂本は断りなく野間垣のパソコン画面を覗き込んでいる。

浮かび上がる字面《じづら》をひと通り読んだあと、苦々しげに目を細めた。

「人間関係、ねぇ。良くない表現だなぁ」

とたんに野間垣は泡を食う。

「内部資料ですので、もう少し踏み込んだ言い方にもできますよ。そのほうが先生方も真剣に考えてくれるはずです」

「そういうところを気にしているわけじゃないよ」

坂本は乾いた笑い声を上げた。

「僕が言いたいのはさ、生徒は皆、この〝人間関係〟って言葉を、自分の苦しみを表すためのやむをえない最善解として使っているってことなんだよ」

「やむをえない……最善解？」

「そう。本当はもっとしっくりとくるものがあるはずなんだよ。自分の苦しみを理解してもらうためには言葉を尽くさなくてはならない。経緯も、本心も、葛藤も、説明できなければ苦しみは苦しみのままだ。でも彼らにはそれができない。自分の言葉が出てこないんだ。だから巷《ちまた》に転がっている表現に飛びついてしまう」

「それでは意味がないと？」

坂本は大きくうなずいた。

「当然。こんな短い言葉には彼らの悩みは収まりきらない。だって奇妙だろう？　一人ひとりが違う生き方をしているはずなのに、みんなが口を揃えて〝人間関係〟に悩んでいるだなんて」

坂本は大きく伸びをする。濃いグレーのスラックスの裾《すそ》から臙脂《えんじ》色の靴下が覗いた。

「そういう意味では、この子が読書感想部に入ってくれたことはラッキーだったと思っているよ」

坂本の太い指がトンと野間垣の机を叩く。そこには少女の写真があった。担任との面談記録に貼られたもので、四月に撮った生徒手帳のデータをそのまま使っている。

顔よりも髪に目がいく。フレームからはみ出る勢いの癖っ毛なのだ。

野間垣も納得した声を上げた。

「あの須賀田さんがたてた部活ですね」

「そうそう。部員は少なかったけど一発でＯＫ出しちゃった。本当は良くないんだよね。『部員をもっと集めないとダメ』って却下した設部要求、ごまんとあるんだからさ」

「反感を買いますよ、それは」

坂本は渋い顔で「参った、参った」と繰り返す。だが真剣な顔は長くは持たずすぐさま表情を変える。

「あれ？　野間垣先生。『まいったさん』ってレシピ絵本あったよね？　クリーニング屋さんが出てくるやつだと思うんだけど」

敏腕《びんわん》学園長の悪い癖だ。思いつきですぐ話を変える。

今の質問に答えられるのは、司書の高井田くらいなものだろうと思いつつ、野間垣は知識不足を坂本に詫びた。

「とにかく、読書感想部には頑張ってほしいな。ユニークなコンセプトだし」

「ええ。ユニークすぎて私の手には余ります。私が送り込んだ留年生の丹波もうまく馴染んでいるようですし、何もかもが想定外ですよ」

嫌味混じりに返すも坂本はどこ吹く風だ。というか、まだ頭の中は『まいったさん』で埋まっているらしく、野間垣の隣で小型のノートパソコンを弄《いじ》っている。

「あぁ、『わかったさん』か。で、お花屋さんが『こまったさん』だと。だとすれば我々は『こまったさん』だな」

困った困ったと繰り返す。その様がどこか楽しげなので、野間垣は「笑い事ではないですがね」と苦言を呈した。

「そうだ。笑い事ではすまされない」

坂本は笑みを引っ込め職員室の窓の前に立った。大開口窓と呼ぶにふさわしいガラスの向こうには隣のB校舎が見える。こちら同様、明かりが一つ残っている。どこなのかはおおよそあたりがつく。

坂本は重々しく胸中を断言する。

「彼女には今度こそ、楽しい学校生活を送ってもらいたいのだから」

同調するつもりか、はたまた真逆の意図を持っているのか。

校舎の窓を叩く風は、嵐を思わせるほどに強くなっていた。

参考文献

『太宰治全集　３』　太宰治／ちくま文庫／一九八八年

『檀一雄全集　第七巻』　檀一雄／新潮社／一九七七年

『秘密の花園』　バーネット著　土屋京子訳／光文社古典新訳文庫／二〇〇七年

本書は書き下ろしです。

取材に多大なるご協力をいただいた特定非営利活動法人　揚輝荘の会に、この場を借りて
厚く御礼申し上げます。

［著者略歴］

平田駒（ひらた・こま）

1989年東京都出身。筑波大学卒。
現在、通信会社でエンジニアをしながら精力的に執筆活動を行う。
小説投稿サイト「エブリスタ」内のコンテストで2作品が受賞。
2019年、受賞作『スガリさんの感想文はいつだって斜め上』でデビュー。

5分シリーズ+

スガリさんの感《かん》想《そう》文《ぶん》はいつだって斜《なな》め上《うえ》 3

2020年3月20日　初版印刷
2020年3月30日　初版発行

著者	平田駒
発行者	小野寺優
発行所	株式会社河出書房新社 〒151-0051　東京都渋谷区千駄ヶ谷2-32-2 ☎03-3404-1201（営業）　☎03-3404-8611（編集） http://www.kawade.co.jp/
カバーイラスト・挿絵	けーしん
デザイン	野条友史（BALCOLONY.）、太田規介（BALCOLONY.）
組版	株式会社キャップス
印刷・製本	三松堂株式会社

ISBN978-4-309-02867-5　Printed in Japan

スガリさんの感想文はいつだって斜め上
河出書房新社
Illustration けーしん
平田駒
WRITTEN BY HIRATA KOMA
エブリスタから生まれた衝撃作!
エブリスタ小説コンテストW受賞の著者がおくる
青春ミステリー!
奇抜な感想文をヒントに、こじれた事件の真相に迫る!
絶賛の声続々!
「もう頭の中はスガリさんのことでいっぱいだ!」
「夏休みの宿題に一石を投じる問題作!?」
「読書感想部、なんでなかったんだろう。絶対入部したい!」
5分シリーズ+

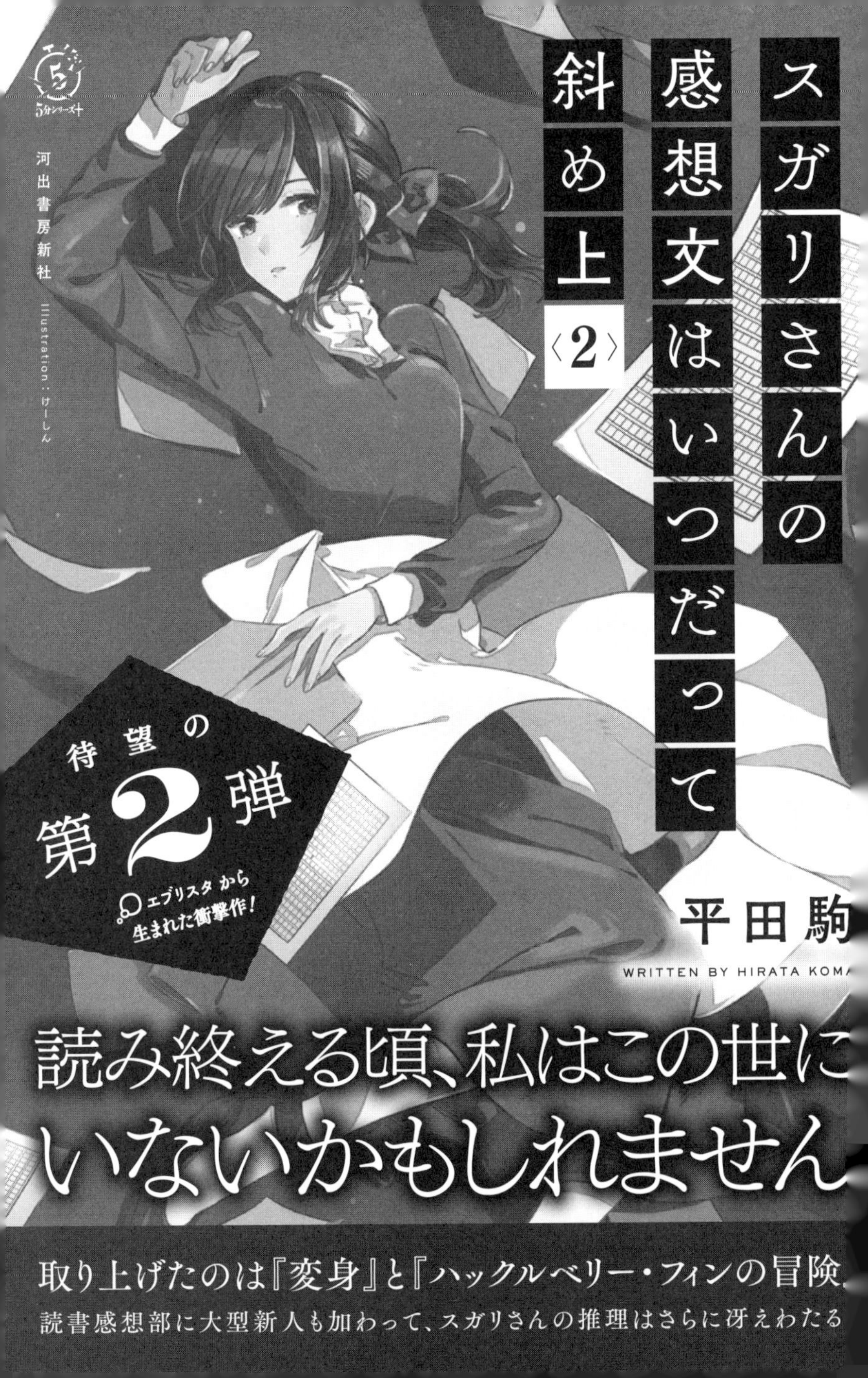
5分シリーズ+
スガリさんの感想文はいつだって斜め上
〈2〉
河出書房新社
Illustration：けーしん
待望の
第2弾
エブリスタから
生まれた衝撃作！
平田駒
WRITTEN BY HIRATA KOMA
読み終える頃、私はこの世に
いないかもしれません
取り上げたのは『変身』と『ハックルベリー・フィンの冒険
読書感想部に大型新人も加わって、スガリさんの推理はさらに冴えわたる

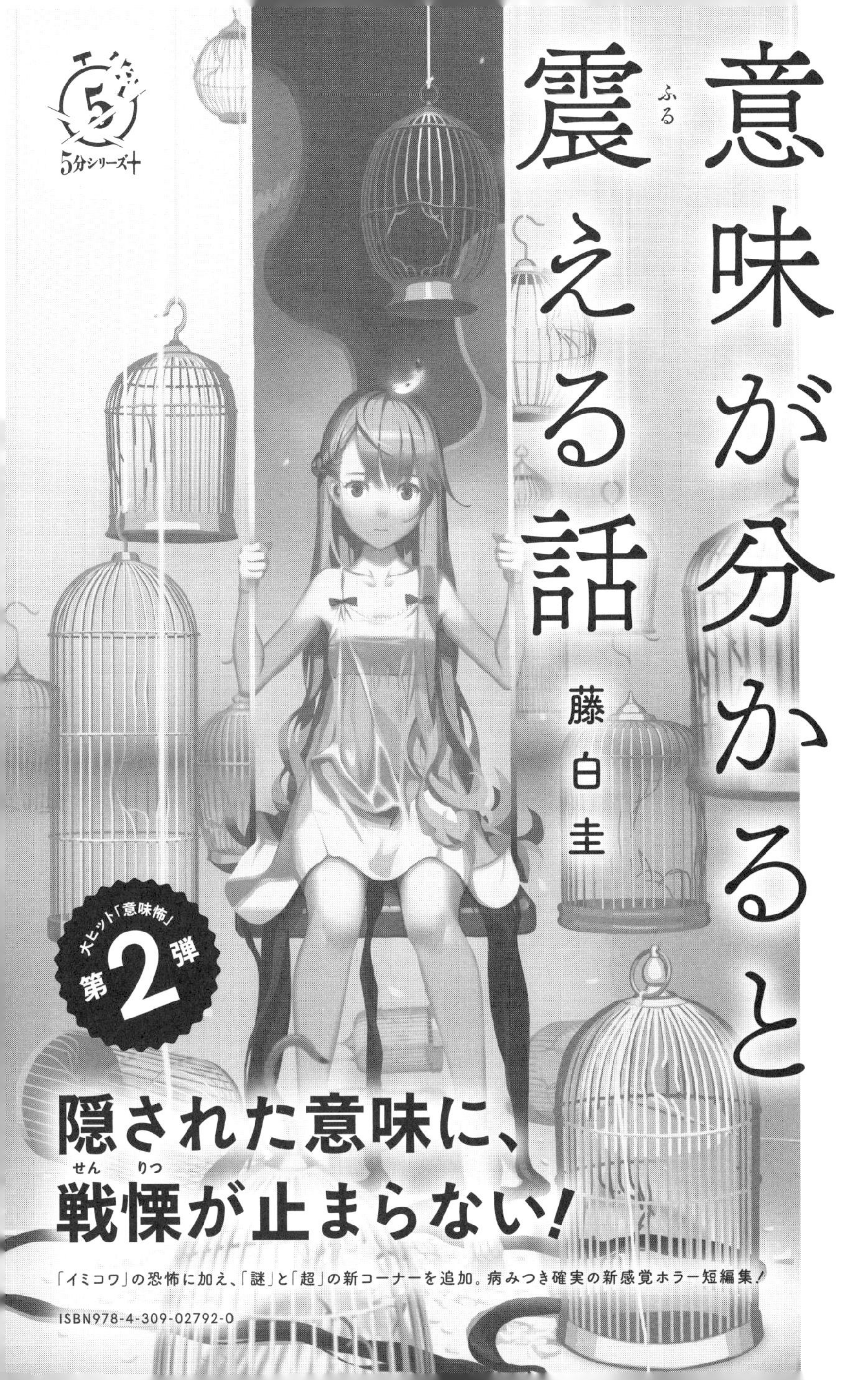

5分シリーズ＋

意味が分かると震《ふる》える話

藤白圭

大ヒット「意味怖」
第2弾

隠された意味に、
戦《せん》慄《りつ》が止まらない！

「イミコワ」の恐怖に加え、「謎」と「超」の新コーナーを追加。病みつき確実の新感覚ホラー短編集！

ISBN978-4-309-02792-0

5
5分シリーズ

5分後に恋するラスト

友情から恋に変わる、
その瞬間——

人気声優による朗読で話題となった「放課後スピーチ」など、胸キュン確実の10作収録。

ISBN978-4-309-61219-5

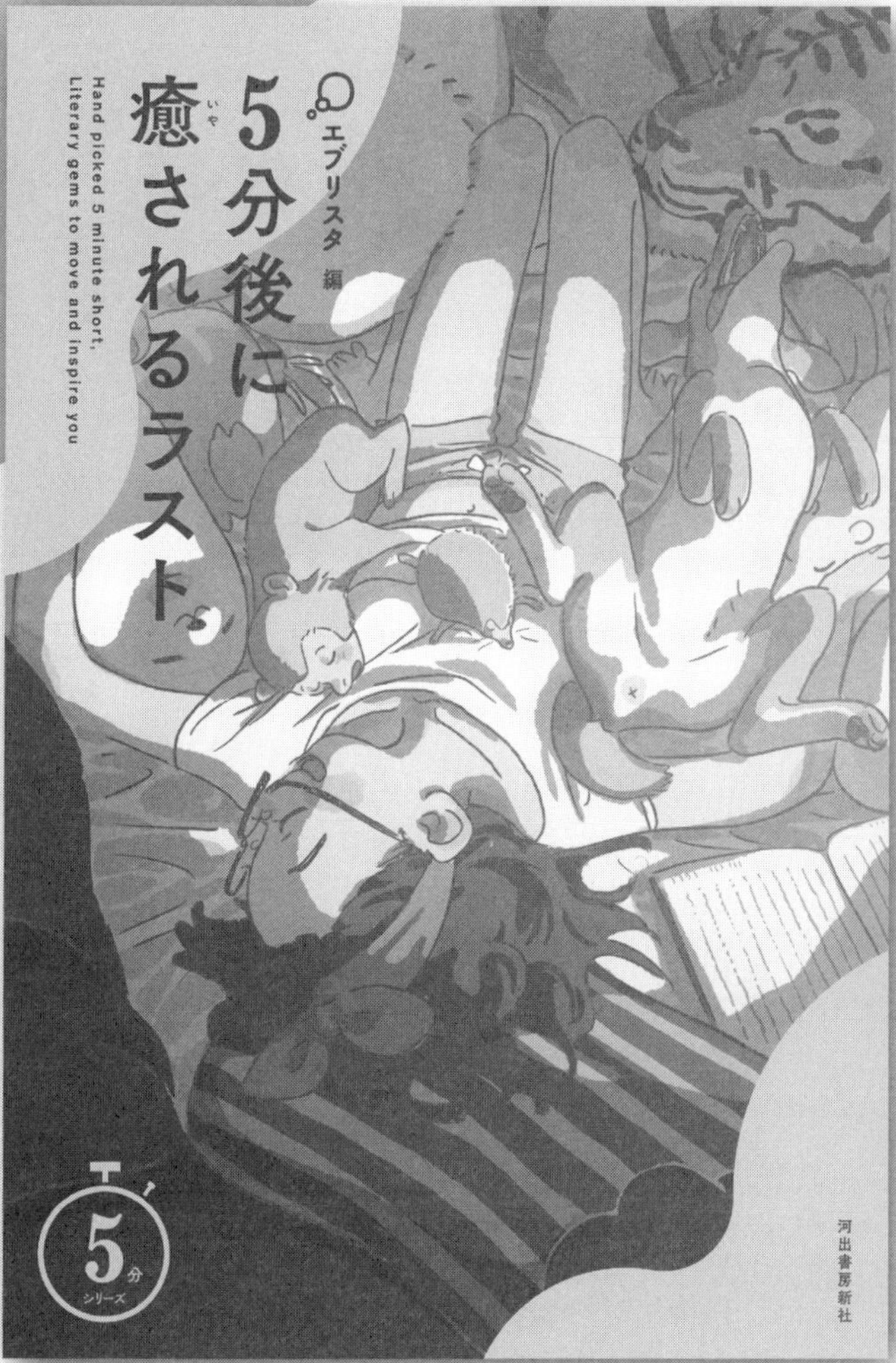

5分シリーズ

5分後に癒《いや》されるラスト

ぬくもり充《じゅう》電《でん》の5分間——

日比野くんの笑い声がクラス中を幸せにする
「幸せと切なさと」など、心に響く短編11作。

ISBN978-4-309-61222-5

累計70万部突破!
エブリスタ × 河出書房新社
5分シリーズ
5分シリーズ
皮肉が上手なのは大人になった証なのかも
皮肉
5分後に皮肉などんでん返し
Hand picked 5 minute short, Literary gems to move and inspire you
癒《いや》し
5分後に癒されるラスト
Hand picked 5 minute short, Literary gems to move and inspire you
爆《ばく》笑《しょう》
5分後に笑えるどんでん返し
Hand picked 5 minute short, Literary gems to move and inspire you
最悪《あく》
5分後に後味の悪いラスト
Hand picked 5 minute short, Literary gems to move and inspire you
5分後に切ないラスト
Hand picked 5 minute short, Literary gems to move and inspire you
哀《あい》切《せつ》
好評発売中!!